Me chame pelo seu nome

Me chame pelo seu nome

ANDRÉ ACIMAN

Tradução de
Alessandra Esteche

intrínseca

Copyright © 2007 by André Aciman
Todos os direitos reservados. Nenhuma parte deste livro pode ser reproduzida em quaisquer formas ou meios sem a permissão da editora.

Os trechos de *A Divina Comédia* citados nas páginas 41 e 203 são de tradução de Ítalo Eugenio Mauro, Editora 34, 2005.

TÍTULO ORIGINAL
Call Me By Your Name

PREPARAÇÃO
Marina Góes

REVISÃO
André Marinho
Elisa Menezes

DIAGRAMAÇÃO
Ilustrarte Design e Produção Editorial

DESIGN DE CAPA
Lola Vaz

CIP-BRASIL. CATALOGAÇÃO NA PUBLICAÇÃO
SINDICATO NACIONAL DOS EDITORES DE LIVROS, RJ

A154m

    Aciman, André
        Me chame pelo seu nome / André Aciman ; tradução Alessandra Esteche. - 1. ed. - Rio de Janeiro : Intrínseca, 2018.
    288 p. ; 21 cm.

        Tradução de: Call me by your name
        ISBN 978-85-510-0273-5

        1. Romance egípcio. I. Esteche, Alessandra. II. Título.

17-45719   CDD: 892.73
                                          CDU: 821.411.21›6(620)-3

[2018]
Todos os direitos desta edição reservados à
EDITORA INTRÍNSECA LTDA.
Av. das Américas, 500, bloco 12, sala 303
22640-904 – Barra da Tijuca
Rio de Janeiro – RJ
Tel. / Fax.: (21) 3206-7400
www.intrinseca.com.br

*Para Albio,
alma de mi vida*

PARTE 1

Se não depois, quando?

"*Até depois!*"
As palavras, a voz, a atitude.

Eu nunca tinha ouvido alguém dizer "até depois" para se despedir. Parecia brusco, seco, desdenhoso, pronunciado com a indiferença velada de uma pessoa que talvez não se importe se vai revê-lo ou saber de você novamente.

É a primeira lembrança que tenho dele, e parece que ainda hoje consigo ouvi-lo. "*Até depois!*"

Fecho os olhos, pronuncio as palavras e estou de volta à Itália, tantos anos atrás, descendo a entrada arborizada, observando-o sair do táxi com uma camisa azul esvoaçante, o colarinho bem aberto, óculos escuros, chapéu de palha, muita pele à mostra. De repente ele está apertando minha mão, me entregando sua mochila, tirando a bagagem do porta-malas do táxi, perguntando se meu pai está em casa.

Poderia ter começado bem ali, naquele momento: a camisa, as mangas arregaçadas, os calcanhares escapando das alpargatas desgastadas, ansiosos para tocar o caminho de cascalho quente que levava à nossa casa, cada passo como se já perguntasse: *Para onde fica a praia?*

O hóspede da vez. Mais um chato.

Então, quase sem pensar, e já de costas para o carro, ele acena com a mão livre e solta um *Até depois!* desatento para o outro passageiro, com quem provavelmente dividiu a corrida ao sair da estação. Sem dizer seu nome, sem fazer uma gracinha que suavizasse o incômodo da parada, nada. A despedida típica dele: rápida, ousada e direta — pode escolher o adjetivo, para ele tanto faz.

Pode esperar, pensei, é exatamente assim que ele vai se despedir de nós quando for embora. Com um *Até depois!* abrupto e despreocupado.

Até lá, nós teríamos que suportá-lo durante seis longas semanas.

Fiquei totalmente intimidado. Ele era do tipo inacessível.

Talvez eu fosse gostar dele. Do queixo aos calcanhares. Então, em alguns dias, aprenderia a odiá-lo. O mesmo homem cuja foto no formulário de inscrição havia se destacado meses antes com promessas de afinidade imediata.

Receber hóspedes no verão era o modo como meus pais ajudavam jovens escritores a revisar um manuscrito antes da publicação. Por seis semanas, todo verão, eu tinha que desocupar meu quarto e me mudar para o quarto ao lado no corredor, muito menor, que um dia pertencera ao meu avô. Durante os meses de inverno, quando estávamos na cidade, aquele cômodo temporariamente virava um quartinho de ferramentas, depósito e sótão onde, diziam, meu avô, meu homônimo, ainda rangia os dentes no sono eterno. Os hóspedes de verão não precisavam pagar nada, podiam usufruir de toda a casa e praticamente fazer tudo o que quisessem, desde que passassem por volta de uma hora por dia ajudando meu pai com sua correspondência e papelada em geral. Eles se tornavam parte da família e, depois de quinze anos fazendo isso, tínhamos nos acostumado à enxurrada de cartões-postais e presentes que recebíamos não só perto do Natal, mas durante todo o ano, enviados por pessoas leais a nós e que, quando estavam na Europa, saíam de seu caminho o quanto fosse preciso para passar um ou dois dias em B. com a própria família e fazer uma visita nostálgica ao velho alojamento.

Durante as refeições, sempre havia mais dois ou três convidados, às vezes vizinhos ou parentes, às vezes colegas, advogados, médicos, os ricos e famosos que davam uma passada para ver meu pai a caminho de suas casas de veraneio. Às vezes até abríamos a sala de jantar para um ou outro casal de turistas que tinha ouvido falar da antiga *villa* e queria apenas entrar para dar uma olhada. Pessoas que ficavam encantadas quando as convidávamos para comer conosco e lhes pedíamos que nos contassem tudo a seu respeito. Mafalda, avisada em cima da hora, era obrigada a redistribuir a comida. Meu pai, reservado e tímido, amava ter um especialista precoce de qualquer área que mantivesse a conversa fluindo em algumas línguas, enquanto o sol quente de verão, depois de algumas taças de *rosatello*, trazia a inevitável sonolência da tarde. Chamávamos a tarefa de *labuta prandial* — e, depois de um tempo, a maioria dos nossos hóspedes também.

Pode ser que tenha começado logo que ele chegou, durante um daqueles almoços tediosos, quando sentou-se ao meu lado e finalmente percebi que, apesar do leve bronzeado adquirido durante a breve estadia na Sicília no início do verão, as palmas de suas mãos tinham a mesma cor da pele clara e macia da sola de seus pés, de seu pescoço e da parte interna dos antebraços, que praticamente não haviam sido expostos ao sol. Quase um rosa-claro, a pele reluzente e macia como a barriga de um lagarto. Íntima, pura, intocada, como o rosto corado de um atleta ou a insinuação do alvorecer em uma noite de tempestade. Dizia coisas sobre ele que eu jamais pensaria em perguntar.

Pode ser que tenha começado durante aquelas horas intermináveis depois do almoço, quando todos ficavam à toa dentro e fora da casa usando roupas de banho, corpos esparramados por toda parte, matando o tempo à espera de que alguém finalmente sugerisse que fôssemos até as pedras dar um mergulho. Parentes, primos, vizinhos, amigos, amigos de amigos, colegas ou qualquer pessoa que aparecesse no portão perguntando se podia usar nossa quadra de tênis — todos eram bem-vindos para relaxar, nadar e comer e, se ficassem tempo suficiente, usar a casa de hóspedes.

Ou talvez tenha começado na praia. Ou na quadra de tênis. Ou durante a primeira caminhada juntos no primeiro dia, quando pediram que eu lhe mostrasse a casa e os arredores e — uma coisa levou à outra — consegui levá-lo para além do antigo portão de ferro fundido e do interminável terreno baldio em direção aos trilhos abandonados que costumavam ligar B. a N.

— Tem alguma estação de trem abandonada por aqui? — perguntou ele, olhando através das árvores sob o sol escaldante, provavelmente tentando fazer a pergunta certa para o filho do proprietário.

— Não, nunca teve estação aqui. O trem simplesmente parava quando as pessoas pediam.

Ele estava curioso a respeito do trem; os trilhos eram muito estreitos. Era um trem de dois vagões com a insígnia real, expliquei. Mas, desde a época em que minha mãe passava o verão na cidade quando jovem, a estrutura servia de casa para alguns ciganos. Eles haviam levado os dois vagões descarrilhados mais para longe da praia. Ele queria vê-los?

— Depois, talvez.

Uma indiferença cortês, como se tivesse percebido minha preocupação despropositada em agradá-lo e estivesse me dispensando de imediato.

Só que me afetou.

Em vez de ir ver o trem, ele queria abrir uma conta em um dos bancos de B., e depois visitar a tradutora italiana que sua editora na Itália tinha contratado para seu livro.

Decidi levá-lo de bicicleta.

A conversa sobre duas rodas não foi melhor do que a pé. No caminho, paramos para beber alguma coisa. O bar-tabacaria estava totalmente escuro e vazio. O dono limpava o chão com um produto que exalava um forte cheiro de amônia. Saímos o quanto antes. Um melro-preto solitário, empoleirado em um pinheiro mediterrâneo, cantou algumas notas que foram logo abafadas pelo canto das cigarras.

Tomei um bom gole de uma garrafa grande de água mineral, passei a garrafa para ele e depois dei mais um gole. Derramei um pouco de água nas mãos e esfreguei o rosto, passando os dedos molhados no cabelo. A água não estava gelada nem gaseificada o suficiente, deixando uma sensação de sede não saciada.

O que as pessoas fazem por essas bandas?

Nada. Esperam o verão acabar.

O que as pessoas fazem no inverno, então?

Ri da resposta que estava prestes a dar. Ele captou o espírito da coisa e disse:

— Não me diga... Esperam o verão chegar, certo?

Eu gostava quando liam meus pensamentos. Ele se acostumou à labuta prandial mais rápido do que os hóspedes anteriores.

— Na verdade, no inverno fica tudo muito cinza e escuro. A gente vem no Natal. Fora isso, é uma cidade fantasma.

— E o que mais vocês fazem no Natal por aqui além de torrar castanha e beber gemada?

Ele estava fazendo piada. Ofereci o mesmo sorriso de antes. Ele entendeu, não disse nada, nós rimos.

Perguntou o que eu fazia. Eu jogava tênis. Nadava. Saía à noite. Corria. Transcrevia músicas. Lia.

Ele disse que também corria. Logo cedo. Onde as pessoas costumavam correr? No calçadão, principalmente. Eu podia levá-lo até lá, se quisesse.

A resposta me atingiu em cheio, bem quando eu estava começando a gostar dele:

— Depois, talvez.

Eu tinha deixado a leitura por último em minha lista, pensando que, pela atitude deliberada e insolente que vinha demonstrando até o momento, seria a última na dele. Horas depois, ao descobrir que ele tinha acabado de escrever um livro sobre Heráclito e que a "leitura" provavelmente não era algo insignificante em sua vida, percebi que precisava voltar atrás de um jeito inteligente e insinuar que meus reais interesses correspondiam aos dele. O que me inquietou, no entanto, não foi a manobra sofisticada necessária para me redimir. Foi a incômoda desconfiança que senti ao finalmente perceber, tanto ali como na conversa despreocupada perto dos trilhos do trem, que o tempo todo, sem que parecesse, sem nem mesmo admitir, eu já estava tentando — sem sucesso — conquistá-lo.

Quando me ofereci — porque todos os visitantes amavam a ideia — para levá-lo à igreja de São Tiago e subir até o topo do campanário que apelidamos de "de morrer", eu devia ter pensado antes em uma resposta à altura. Pensei que conseguiria convencê-lo apenas levando-o lá e deixando que assimilasse a vista da cidade, do mar, da eternidade. Só que não. *Depois!*

Mas talvez tenha começado bem mais tarde do que acredito, sem que eu percebesse. Você vê a pessoa, mas não a enxerga de verdade, ela simplesmente está por ali. Ou até enxerga, mas nada bate, nada "chama a atenção" e, antes mesmo que você perceba uma presença ou algo incômodo, as seis semanas que lhe foram oferecidas já passaram e a pessoa já foi embora ou está prestes a ir, e você fica lutando para aceitar algo que, sem que você soubesse, vinha ganhando forma bem debaixo do seu nariz, trazendo consigo todos os sintomas daquilo que só pode ser chamado de *desejo*. Como eu não percebi? Você se pergunta. Sei reconhecer o desejo — desta vez, no entanto, tinha passado completamente despercebido. Eu me saía com meu sorriso misterioso, que fazia o rosto dele se iluminar toda vez que lia meus pensamentos, mas tudo o que eu queria era pele, apenas pele.

Durante o jantar na terceira noite, senti que ele me olhava fixamente enquanto eu falava sobre *As sete últimas palavras do redentor na cruz*, de Haydn, que estava transcrevendo para o violão. Eu tinha dezessete anos e, por ser o mais novo à mesa e ter menos chance de ser ouvido, desenvolvera o hábito de inserir o máximo de informação no mínimo de palavras. Eu falava rápido, o que dava às pessoas a impressão de que estava sempre agitado e atropelando as palavras.

Quando terminei de explicar a transcrição, percebi o olhar penetrante que vinha da minha esquerda. Aquele olhar me deixou entusiasmado e orgulhoso; ele estava claramente interessado... ele gostava de mim. Não seria tão difícil assim, então. Mas quando finalmente virei na direção dele, encontrei um olhar frio, gélido — ao mesmo tempo hostil e vítreo, beirando a crueldade.

Meu mundo caiu. O que eu tinha feito para merecer aquilo? Queria que ele fosse gentil comigo de novo, que risse comigo como fizera dias antes nos trilhos abandonados, ou quando expliquei naquela mesma tarde que B. era a única cidade na Itália onde a *corriera*, a linha de ônibus regional, levava Cristo rapidamente e passava sem parar. Ele riu na hora e reconheceu a referência ao livro de Carlo Levi. Eu gostava de como nossas mentes pareciam caminhar lado a lado, como adivinhávamos de imediato as palavras que o outro queria usar mesmo que desistisse no último instante.

Ele seria um vizinho difícil. Melhor ficar longe, pensei. E pensar que quase me deixei levar pela pele de suas mãos, pelo torso, por seus pés que nunca haviam tocado uma superfície áspera... e por seus olhos, que, quando lançavam aquele outro olhar, mais gentil, eram como o Milagre da Ressurreição. Nunca era possível observá-los por tempo suficiente, mas era preciso insistir para descobrir por que não.

Eu devo ter retribuído com um olhar igualmente perverso. Durante dois dias, nossas conversas terminaram de forma repentina.

Na longa varanda compartilhada por nossos quartos, indiferença total: só um paliativo oi, bom dia, que clima agradável, palavras breves.

Então, sem explicação, as coisas voltaram ao normal.

Eu queria ir correr de manhã? Não, na verdade não. Bem, vamos nadar então.

Hoje, a dor, a curiosidade, a atração do novo, a promessa de tanto êxtase pairando quase ao alcance das mãos, a falta de jeito perto de pessoas que posso interpretar mal e que não quero perder e cujos passos preciso antecipar o tempo todo, as artimanhas desesperadas que uso com qualquer pessoa que desperta meu desejo e cujo desejo quero despertar, as barreiras que criei entre mim e o mundo e que eram não só uma, mas várias camadas de painéis japoneses, o impulso de embaralhar e desembaralhar o que nunca esteve realmente cifrado — tudo isso teve início no verão em que Oliver veio para nossa casa. Está gravado em cada música que foi sucesso naquele verão, em cada romance que li durante e após sua estadia, em tudo, do cheiro do alecrim em dias quentes ao canto frenético das cigarras à tarde — cheiros e sons com os quais cresci e convivi durante todos os verões anteriores àquele, mas que de repente se transformaram e adquiriram nuances diferentes, para sempre coloridos pelos acontecimentos daquele verão.

Ou talvez tenha começado ao fim da primeira semana, quando vibrei ao perceber que ele ainda lembrava quem eu era, que não estava me ignorando e que, portanto, eu podia me dar ao luxo de passar por ele a caminho do jardim sem precisar fingir que não o tinha visto. Corremos cedinho na primeira manhã — fomos até a ponta de B. e voltamos. Na manhã seguinte, nadamos. Então, no outro dia, corremos de novo. Eu gostava de passar correndo pela van que entregava o leite quando ainda faltava muito para terminarem as entregas, ou pela mercearia e pela padaria quando ainda estavam abrindo, gostava de correr na areia, perto do mar, ou no calçadão quando ainda não havia ninguém na rua e nossa casa parecia uma miragem distante. Gostava quando nossas passadas ficavam sincronizadas, pé esquerdo com pé esquerdo, e tocavam o chão ao mesmo tempo, deixando pegadas na areia para as quais eu queria voltar e, em segredo, colocar meu pé onde o dele tinha deixado sua marca.

Essa alternância entre corrida e natação era a "rotina" dele durante a pós-graduação. Ele corria no Sabá? Perguntei, brincando. Ele sempre se exercitava, mesmo quando ficava doente; faria exercício na cama, se fosse preciso. Mesmo quando dormia com alguém, contou, saía para correr na manhã seguinte. A única vez que não fez nada foi quando precisou passar por uma cirurgia. Quando perguntei o motivo, a resposta que prometi a mim mesmo nunca incitar me acertou em cheio e com um sorriso malicioso.

— Depois.

Talvez ele estivesse sem fôlego e não quisesse falar muito ou simplesmente quisesse se concentrar no nado e na corrida. Ou talvez fosse seu jeito de me estimular a fazer o mesmo... totalmente inofensivo.

Mas havia algo ao mesmo tempo frio e desconcertante na distância repentina que se instalava entre nós nos momentos mais inesperados. Era quase como se ele estivesse fazendo de propósito; me dando cada vez mais bola e, de repente, arrancando qualquer sinal de companheirismo.

O olhar ríspido sempre voltava. Um dia, junto à piscina, enquanto eu tocava violão no quintal, naquela que tinha se tornado a "minha mesa", ele estava deitado na grama, e eu logo reconheci o olhar. Olhava para mim enquanto eu me concentrava no braço do violão e, quando subitamente ergui o rosto para ver se estava gostando do que eu tocava, lá estava ele: incisivo, cruel, como uma lâmina reluzente recolhida no momento exato em que sua vítima a percebe. Ele deu um sorriso sem graça, como se dissesse: *Agora não adianta esconder.*

Fique longe dele.

Oliver deve ter percebido que aquilo me abalou e, em um esforço para me recompensar, começou a perguntar sobre o violão. Eu estava muito na defensiva para responder com clareza. Por outro lado, perceber que eu procurava sem sucesso por respostas o fez suspeitar de que talvez eu estivesse mais à deriva do que deixava transparecer.

— Não se preocupe em explicar. Só toque mais uma vez.

Mas eu achei que você tinha odiado. Odiou? O que fez você pensar isso? Discutíamos sem parar.

— Você pode só tocar?

— A mesma?

— A mesma.

Levantei e entrei na sala, deixando as portas francesas abertas para que ele pudesse me ouvir tocar a mesma música ao piano. Ele me seguiu até as portas e, apoiado no caixilho de madeira, escutou por um tempo.

— Você mudou. Não é a mesma música. O que você fez?

— Só toquei como Liszt teria tocado se brincasse um pouco com ela.

— Toque mais uma vez, *por favor*!

Eu gostava de como ele fingia ficar irritado. Então comecei a tocar de novo.

— Não acredito que você mudou de novo — disse depois de um tempo.

— Bem, só um pouco. Seria como Busoni tocaria se alterasse a versão de Liszt.

— Você não pode simplesmente tocar Bach como Bach compôs?

— Mas Bach não compôs esta peça para violão. Talvez nem sequer para cravo. Na verdade, nem temos certeza se foi mesmo ele quem a compôs.

— Deixa pra lá.

— Está bem, está bem. Não precisa ficar tão irritado — falei.

Era minha vez de fingir uma submissão contrariada.

— Este é Bach transcrito por mim sem Busoni e sem Liszt. É uma peça que ele compôs ainda muito jovem e que dedicou ao irmão.

Eu sabia exatamente que parte o tinha provocado na primeira ocasião, e cada vez que tocava aquela peça o fazia como se fosse um pequeno presente, porque era mesmo dedicada a ele, um símbolo de algo belo que eu sentia e que não seria tão difícil de perceber, e que me incentivava a incluir uma ampla cadência. Só para ele.

Estávamos — e ele deve ter reconhecido os sinais muito antes de mim — flertando.

Naquela noite, escrevi em meu diário: *Eu estava exagerando quando disse que achei que você tinha odiado a peça. O que eu quis dizer foi: achei que você me odiava. Esperava que você me convencesse do contrário... e me convenceu, por um tempo. Por que não vou acreditar nisso amanhã de manhã?*

Mas isso também faz parte de quem ele é, disse a mim mesmo ao ver como sua personalidade fora do gelo ao fogo.

Eu podia muito bem ter perguntado: eu também mudo completamente dessa maneira?

Não fomos escritos para um único instrumento; eu não fui, nem você.

Eu estava pronto para rotulá-lo como difícil e inacessível e descartá-lo imediatamente. Bastaram duas palavras dele para que eu visse minha apatia se transformar em vou tocar qualquer coisa até você me pedir para parar, até chegar a hora do almoço, até a pele dos meus dedos se esfolar camada por camada, porque gosto de fazer as coisas para você, farei qualquer coisa por você, é só pedir, gostei de você desde o primeiro dia e, mesmo quando você reagir às minhas constantes ofertas de amizade com uma frieza glacial, nunca vou esquecer que esta conversa entre nós aconteceu e que existem maneiras fáceis de trazer o verão de volta em meio à nevasca.

O que fui incapaz de identificar nessa promessa é que a frieza e a apatia encontram um jeito de anular imediatamente quaisquer tréguas e resoluções assinadas em momentos ensolarados.

Então chegou aquela tarde de domingo em julho quando a casa de repente ficou vazia, nós dois os únicos ali, e o fogo dilacerou minhas vísceras — porque "fogo" foi a primeira palavra, a mais fácil, que me ocorreu naquela mesma tarde quando tentei racionalizar em meu diário o que havia acontecido. Eu esperei eternamente em meu quarto, preso à cama em um transe de pavor e expectativa. Não era o fogo da paixão nem um fogo devastador, mas algo paralisante, como o fogo de bombas de fragmentação que sugam o oxigênio ao redor e deixam você ofegante como se tivesse levado um chute na boca do estômago e o vácuo tivesse rasgado todo o tecido pulmonar e deixado a boca seca, então você espera que ninguém fale, porque você mesmo não pode falar, e reza para que ninguém peça que você se mova, porque seu coração está entupido e bate tão rápido que cuspiria estilhaços de vidro antes de permitir que qualquer outra coisa fluísse por suas cavidades estreitadas. O fogo do medo, do pânico, mais um minuto e eu vou morrer se ele não bater à minha porta, mas ainda assim prefiro que nunca bata. Eu me acostumara a deixar as portas francesas que davam para a varanda entreabertas, e estava deitado na cama só de calção de banho, o corpo inteiro pegando fogo. Um fogo que era como um apelo: por favor, por favor, me diga que estou errado, me diga que imaginei tudo isso porque não pode ser verdade para você também e, se for verdade para você também, então é o homem mais cruel que já existiu. Na tarde em que ele finalmente entrou no meu quarto sem bater, como uma resposta às minhas orações, e perguntou por que eu não estava com o pessoal na praia, embora não tenha conseguido dizer só consegui pensar em responder: porque eu queria ficar com você. Com você, Oliver. Com ou sem meu calção de banho. Ficar com você na minha cama. Na sua cama. Que é minha nos outros meses do ano. Faça o que quiser comigo. Sou seu. Basta perguntar se eu quero e esperar pela resposta, mas não me faça dizer não.

E me diga que eu não estava sonhando naquela noite em que ouvi um barulho à minha porta e de repente percebi que alguém estava no meu quarto, que alguém estava sentado ao pé da minha cama, pensando, pensando, pensando, e que esse alguém finalmente começou a vir na minha direção e de repente estava deitado, não ao meu lado, mas em cima de mim, meu corpo de bruços, e gostei tanto disso que, em vez de arriscar qualquer gesto que demonstrasse que eu estava acordado ou fizesse com que ele mudasse de ideia e fosse embora, fingi estar dormindo enquanto pensava Isso não é, não pode ser um sonho, porque as palavras que me ocorreram, enquanto mantinha os olhos fechados, foram: É como a sensação de voltar para casa, como voltar para casa depois de anos entre troianos e lestrigões, como voltar para casa onde todos são como você, onde as pessoas sabem, simplesmente sabem... voltar para casa, como quando tudo se encaixa e de repente você percebe que passou quase duas décadas perdendo tempo com a combinação errada. Foi quando decidi expressar, sem me mover, sem mover um único músculo, que eu estaria disposto a ceder se você insistisse, que eu já tinha cedido, que já era seu, todo seu, mas de repente você não estava mais lá e, embora parecesse real demais para ser um sonho, eu estava convencido de que tudo o que eu queria daquele dia em diante era que você fizesse exatamente o que tinha feito enquanto eu dormia.

No dia seguinte estávamos jogando em duplas e, durante um intervalo, enquanto bebíamos a limonada da Mafalda, ele me envolveu com o braço livre e pressionou gentilmente os dedos em meu ombro, imitando um abraço-massagem... tudo muito amigável. Mas fiquei tão confuso que imediatamente me esquivei do toque, porque mais um segundo e eu desmontaria como aqueles brinquedos de madeira cujo corpo desajeitado desmorona assim que tocamos no elástico. Surpreso, ele se desculpou e perguntou se tinha apertado "um nervo ou algo do tipo"... disse que não queria me machucar. Deve ter ficado horrorizado se achou que tinha me machucado ou me tocado do jeito errado. A última coisa que eu queria era desencorajá-lo. Mesmo assim, respondi algo como "Não doeu", e o assunto morreria ali. Mas me dei conta de que, se o motivo daquela reação não tinha sido dor, que outra explicação haveria para o fato de eu tê-lo afastado tão bruscamente na frente dos meus amigos? Então fiz cara de quem estava tentando muito, sem sucesso, sufocar uma expressão de dor.

Nunca me ocorreu que o que me fizera entrar em pânico quando ele me tocou foi exatamente o que surpreende as virgens ao serem tocadas pela primeira vez pela pessoa que desejam: o toque desperta terminações nervosas que elas nem sequer sabiam da existência e produz prazeres bem mais desconcertantes do que estão acostumadas a sentir sozinhas.

Ele ainda parecia surpreso com a minha reação, mas fingiu ter acreditado na dor, assim como eu fingia tentar ocultá-la. Era a maneira dele de pegar leve comigo e fingir que desconhecia o que estava por trás da minha reação. Conhecendo, como mais tarde vim a conhecer, sua minuciosa capacidade de decifrar sinais contraditórios, não tenho dúvida de que ele já suspeitasse de algo.

— Vem cá, isso vai ajudar.

Ele estava me testando e começou a massagear meu ombro.

— Relaxa — disse ele, na frente dos outros.

— Mas eu estou relaxado.

— Está tão duro quanto esse banco. Olha isso — disse se dirigindo a Marzia, uma das garotas que estava mais perto. — Cheio de nós. — Senti as mãos dela em minhas costas. — Aqui — indicou ele, pressionando com força a palma da mão aberta em minhas costas. — Está sentindo? Ele precisa relaxar mais — afirmou.

— Você precisa relaxar mais — repetiu Marzia.

Talvez ali, como em todos os outros momentos, porque não sabia falar em códigos, eu não soube responder. Eu me senti como um surdo-mudo que nem sequer fala língua de sinais. Balbuciei todo tipo de coisa para não dizer o que realmente estava pensando. Era o máximo que eu sabia falar em códigos. Enquanto tivesse fôlego para que as palavras chegassem à minha boca, eu meio que conseguia continuar falando. Do contrário, o silêncio entre nós poderia me entregar — por isso qualquer coisa, mesmo a bobeira mais sem noção, era melhor do que o silêncio. O silêncio poderia me expor. Mas o esforço para superá-lo na frente dos outros certamente me expunha ainda mais.

Eu estava tão desesperado que meu rosto deve ter demonstrado algo que beirava impaciência e raiva implícita. Nunca passou pela minha cabeça que ele pudesse pensar que esses sentimentos eram direcionados a ele.

Talvez por isso eu desviasse o olhar sempre que ele olhava para mim: para esconder a tensão de minha timidez. Também nunca me passou pela cabeça que ele pudesse se ofender com meu comportamento evasivo e retaliá-lo com um olhar hostil de vez em quando.

O que eu esperava que ele não tivesse percebido em minha reação exagerada era outra coisa. Antes de me esquivar do braço dele, eu sabia que tinha cedido ao seu toque e quase correspondido, como se dissesse — como tantas vezes ouvira os adultos dizerem quando alguém massageava seus ombros — Não pare. Será que tinha percebido que eu estava pronto não só para ceder, mas para me moldar ao corpo dele?

Esse foi o sentimento que registrei em meu diário naquela noite: chamei de "o desfalecer". Por que eu tinha desfalecido? Podia acontecer tão facilmente? Era só ele me tocar para eu ficar completamente sem forças e vulnerável? Era isso que as pessoas queriam dizer com ficar todo derretido?

E por que eu não mostrava a ele o quanto estava derretido? Porque tinha medo do que poderia acontecer? Ou seria medo de que ele risse de mim, contasse para todo mundo ou me ignorasse completamente sob o pretexto de que eu era muito jovem para saber o que estava fazendo? Ou seria porque se ele suspeitasse — e qualquer um que suspeitasse necessariamente estaria na mesma situação — ficaria tentado a agir? Eu queria que ele agisse? Ou eu preferia uma vida de desejo não realizado desde que seguíssemos com esse joguinho de pingue-pongue: não saber, saber, não saber, saber? Fique quieto, não diga nada, e se não puder dizer "sim", não diga "não", diga "depois". É por isso que as pessoas dizem "talvez" quando querem dizer "sim", mas esperam que você pense que é "não" quando o que realmente querem dizer é: *Por favor, pergunte de novo, e depois mais uma vez?*

Penso naquele verão e não consigo acreditar que, apesar de todos os meus esforços para viver com o "fogo" e o "desfalecer", a vida ainda me permitiu momentos maravilhosos. Itália. Verão. O som das cigarras no início da tarde. Meu quarto. O quarto dele. A varanda que nos separava do restante do mundo. O vento suave que trazia os aromas do jardim até meu quarto. O verão em que aprendi a amar pescar. Porque ele amava. A amar correr. Porque ele amava. A amar polvo, Heráclito, *Tristão*. O verão em que ouvia o canto de um pássaro, sentia o perfume de uma flor ou o vapor subir pelos pés em dias quentes e ensolarados e, como meus sentidos estavam sempre em alerta, automaticamente pensava nele.

Eu poderia ter negado tantas coisas: que desejava tocar seus joelhos e seus pulsos quando reluziam ao sol com um brilho que eu tinha visto em pouquíssimas pessoas; que amava como sua bermuda branca de jogar tênis parecia eternamente manchada em cor de argila, que, com o passar das semanas, se tornou a cor de sua pele; que seu cabelo, cada dia mais louro, refletia o sol antes mesmo que ele tivesse aparecido completamente pela manhã; que sua esvoaçante camisa azul, ainda mais esvoaçante em dias de ventania à beira da piscina, prometia abrigar um aroma de pele e suor que me deixava duro só de pensar. Eu podia ter negado tudo isso. E acreditado na negação.

Mas foram a corrente de ouro e a estrela de davi com a mezuzá dourada em seu pescoço que me disseram que ali havia algo mais forte do que qualquer coisa que eu já desejara dele, porque aquilo era um vínculo entre nós e me lembrava que, embora todo o resto conspirasse para que fôssemos as duas criaturas mais opostas da Terra, ao menos transcendia todas as diferenças. Vi a estrela quase imediatamente no primeiro dia. E daquele momento em diante eu soube que o que me estimulava a buscar sua amizade, achando que nunca encontraria nada que me fizesse desgostar dele, era maior do que qualquer coisa que um poderia esperar do outro, maior e, portanto, melhor que a alma dele, que o meu corpo ou a própria Terra. Olhar para o seu pescoço com a estrela e o amuleto revelador era como ver algo atemporal, ancestral, imortal em mim, em nós dois, que implorava para ser despertado e trazido de volta de seu sono milenar.

O que me frustrava era que ele não parecia notar ou se importar com o fato de que eu também usava uma. Assim como provavelmente não notava ou se importava cada vez que meus olhos vagavam até seu calção de banho, tentando imaginar o contorno daquilo que nos irmanava no deserto.

Além da minha família, ele devia ser o único outro judeu a pôr os pés em B. Mas, ao contrário de nós, ele deixava isso à mostra desde o início. Nós não éramos visivelmente judeus. Usávamos nosso judaísmo como as pessoas em quase todo o mundo: embaixo da camisa, não escondido, mas guardado. "Judeus discretos", nas palavras de minha mãe. Ver alguém proclamar seu judaísmo no pescoço, como Oliver fazia quando pegava uma das bicicletas e ia até a cidade com a camisa aberta, nos chocava e, ao mesmo tempo, nos ensinava que poderíamos fazer o mesmo e sair ilesos. Tentei imitá-lo algumas vezes. Mas eu era muito desajeitado, como alguém que tenta parecer natural mesmo estando nu em um vestiário e acaba excitado com a própria nudez. Na cidade, eu tentava exibir meu judaísmo com um ruído silencioso que era mais vergonha reprimida do que arrogância. Ele não. Não que ele nunca pensasse sobre o fato de ser judeu ou sobre a vida dos judeus em um país católico. Às vezes era exatamente sobre isso que falávamos naquelas longas tardes em que deixávamos as tarefas de lado e conversávamos enquanto todos os outros tinham ido descansar por algumas horas em qualquer quarto que estivesse disponível. Ele tinha vivido tempo suficiente no interior da Nova Inglaterra para saber como era ser *o* judeu. Mas o judaísmo não o impactava como a mim, não era motivo de um permanente desconforto metafísico em relação a si mesmo e ao mundo. Nem sequer abrigava a promessa mística e implícita da fraternidade redentora. E talvez por isso ele não se incomodasse com o fato de ser judeu e não ficasse o tempo todo cutucando essa ascendência como as crianças cutucam cascas de feridas que gostariam de fazer desaparecer. Ele estava em paz com seu judaísmo. Estava em paz consigo mesmo, com seu corpo, sua aparência, seu *backhand* esquisito, sua escolha de livros, músicas, filmes, amigos. Estava em paz com a perda de sua estimada Mont Blanc.

— Posso comprar outra.

Também estava em paz com as críticas. Mostrava ao meu pai algumas páginas que tinha orgulho de ter escrito. Meu pai dizia que suas ideias sobre Heráclito eram brilhantes, mas que precisavam ser consolidadas, que ele precisava aceitar a natureza paradoxal do pensamento do filósofo, não simplesmente explicá-lo. Ele estava em paz com a ideia de que precisava consolidar seus argumentos, aceitava o paradoxo. Devia voltar ao início — também estava em paz com isso. Convidou minha tia mais nova para um *tête-à-tête* durante uma *gita* — passeio — de lancha à meia-noite. Ela recusou. Ele ficou em paz com a recusa. Tentou mais uma vez em alguns dias, mais uma vez foi rejeitado, e mais uma vez aceitou com leveza. Ela também não se importou e, se tivesse passado mais uma semana conosco, provavelmente aceitaria uma *gita* de lancha à meia-noite que duraria até o nascer do sol.

Somente durante os primeiros dias tive a sensação de que aquele jovem de vinte e quatro anos tão obstinado, mas à vontade, descontraído, despreocupado, sereno, imperturbável, que aceitava com facilidade tantas coisas da vida era, na verdade, um juiz frio, alerta e perspicaz da natureza humana e das situações. Nada do que fazia ou dizia era por acaso. Ele sabia interpretar qualquer pessoa, exatamente porque a primeira coisa que procurava nos outros era aquilo que tinha visto em si mesmo e não queria que os outros vissem. Era, como minha mãe ficou escandalizada ao descobrir, um exímio jogador de pôquer que ia escondido até a cidade duas noites por semana para "jogar algumas mãos". Foi por esse motivo que, para nossa completa surpresa, ele insistiu em abrir uma conta no banco assim que chegou. Nenhum dos nossos hóspedes tinha conta no banco. A maioria deles não tinha um centavo.

Aconteceu durante um almoço para o qual meu pai tinha convidado um jornalista que havia se dedicado à filosofia quando jovem e queria mostrar que, embora nunca tivesse escrito sobre Heráclito, era capaz de discutir qualquer assunto. Ele e Oliver não se deram bem. Depois do almoço, meu pai disse:

— Um homem muito espirituoso... inteligente também.

— Você achou mesmo, Pro? — interrompeu Oliver.

Não sabia que meu pai, embora também fosse muito tranquilo, nem sempre gostava de ser contrariado, muito menos de ser chamado de Pro, mesmo que tenha aceitado as duas coisas.

— Sim, acho — insistiu.

— Bem, não sei se concordo. Achei o cara arrogante, maçante, desinteressante e grosseiro. Ele usa muito humor, muita *voz* — Oliver imitou a gravidade do tom do jornalista — e gestos amplos para chamar a atenção porque é totalmente incapaz de argumentar. A coisa da voz é exagerada, Pro. As pessoas riem não porque ele é engraçado, mas porque demonstra que quer ser engraçado. O humor não passa de um truque para conquistar aqueles que não consegue persuadir. Se olhar para ele enquanto fala, ele sempre desvia o olhar. Não está ouvindo, está apenas ansioso para dizer as coisas que ensaiou enquanto a outra pessoa estava falando porque não quer esquecê-las.

Como uma pessoa poderia intuir o modo de pensar de outra a não ser que ela mesma já fosse familiarizada com tal modo? Como ele seria capaz de perceber tantos caminhos tortuosos nos outros a não ser que também os percorresse?

O que me impressionava não era apenas o dom incrível de ler as pessoas, de vasculhar dentro delas e desenterrar a precisa configuração de sua personalidade, mas sua capacidade de intuir coisas exatamente como eu as teria intuído. Isso, no fim, foi o que fez eu me sentir atraído por ele com uma compulsão que ultrapassava o desejo, a amizade ou o fascínio de uma religião comum.

— Que tal pegar um cinema? — soltou ele certa noite.

Estávamos todos juntos, e ao fazer a sugestão foi como se de repente tivesse encontrado a solução para o que prometia ser uma noite sem graça dentro de casa. Ele ainda era novo ali e não conhecia ninguém na cidade, então provavelmente eu era uma companhia tão boa para o cinema quanto qualquer outra. Mas a pergunta tinha sido feita de modo muito espontâneo e casual, como se quisesse que todos soubessem que ele nem queria muito ir ao cinema e que poderia ficar em casa para revisar seu manuscrito sem nenhum problema. A entonação despreocupada da pergunta, no entanto, também era um sinal para os meus pais: ele estava fingindo que a ideia surgira de repente. A casualidade era sua maneira de dizer a eles, sem que eu suspeitasse, que estava se oferecendo para ir ao cinema apenas para me agradar, pois ouvira meu pai reclamar à mesa do jantar que eu andava um pouco distante e desanimado.

Eu ri, não do convite, mas da manobra. Ele entendeu imediatamente o motivo do sorriso. E então riu de volta, quase de si mesmo, sabendo que, se desse qualquer sinal de que sabia que eu tinha percebido sua artimanha, estaria confirmando sua culpa, mas que recusá-la, após eu ter deixado claro que havia percebido, o denunciaria ainda mais. Então ele sorriu para confessar que fora pego em flagrante, mas também para demonstrar que tinha espírito esportivo suficiente para assumir e ainda aproveitar uma ida ao cinema comigo. A situação toda me animou.

Ou talvez o sorriso tenha sido sua maneira de pagar na mesma moeda, de sugerir que, por mais que tivesse sido pego tentando simular casualidade, também vira algo digno de riso *em mim* — a saber, o prazer secreto, perspicaz e tortuoso que eu sentia ao descobrir tantas afinidades imperceptíveis entre nós. Talvez não houvesse nada ali, talvez eu tenha inventado tudo. Mas nós dois sabíamos o que o outro tinha visto. Naquela noite, enquanto pedalamos juntos até o cinema, eu estava — e não fazia questão de esconder — nas nuvens.

Então, astuto como era, ele não tinha *mesmo* entendido o significado por trás do meu gesto de afastar bruscamente sua mão? *Não* percebeu que cedi ao seu toque? *Não* soube que eu não queria que ele me soltasse? *Não* sentiu que quando começou a me massagear, a incapacidade de relaxar foi meu último refúgio, minha última defesa, meu último pretexto, que de forma alguma eu tinha resistido, que minha resistência era falsa, que eu era incapaz de resistir, que nunca quis resistir, independentemente do que ele fizesse ou pedisse? *Não* soube, naquela tarde de domingo em que não havia ninguém na casa além de nós e, sentado na cama o vi entrar no meu quarto e perguntar por que eu não estava na praia com os outros, que, se eu me recusei a responder e só dei de ombros diante de seu olhar foi apenas para não revelar que eu não conseguia tomar fôlego para falar, porque se eu permitisse que qualquer som saísse de minha boca talvez viesse uma confissão desesperada ou um soluçar — um ou o outro? Nunca, desde a infância, tinham me tratado daquele jeito. Alergia, falei. Eu também, respondeu ele. Devemos ter a mesma. Mais uma vez, dei de ombros. Ele pegou meu velho urso de pelúcia, virou o rosto do urso para si e sussurrou algo em seu ouvido. Então, virando o urso para mim e mudando a voz, perguntou:

— O que foi? Você está chateado.

Ele já devia ter percebido que eu estava de calção de banho. O cós estava mais para baixo do que o aceitável?

— Quer ir nadar? — perguntou ele.

— Depois, talvez — respondi, ecoando suas palavras, mas também tentando dizer o mínimo possível para que ele não percebesse que eu estava sem fôlego.

— Vamos agora.

Ele estendeu a mão para me ajudar a levantar. Segurei sua mão, mas virei para a parede, de modo que ele não me visse, e então perguntei:

— Será que devemos?

Foi o mais perto que cheguei de dizer Fique. Só fique aqui comigo. Deixe que sua mão viaje por onde ela quiser, tire meu calção, me pegue, vou ficar em silêncio, não vou dizer a ninguém, estou duro e você sabe, e se você não fizer nada, vou pegar sua mão e colocá-la dentro do meu calção e deixar que você coloque quantos dedos quiser dentro de mim.

Ele *não* havia percebido nada disso?

Disse que ia trocar de roupa e saiu do meu quarto.

— A gente se encontra lá embaixo.

Quando olhei para meu calção de banho, percebi, para meu total desespero, que estava úmido. Ele tinha visto? Provavelmente. Por isso queria que fôssemos até a praia. Por isso saiu do meu quarto. Bati com a mão na minha cabeça.

Como pude ter sido tão descuidado, tão desatento, tão burro? É claro que ele tinha visto.

Eu devia ter aprendido a fazer o que ele teria feito. Devia ter dado de ombros e aceitado o pré-orgasmo. Mas eu não era assim. Nunca me ocorreu dizer E daí se ele viu? Agora ele sabe.

O que jamais imaginei foi que alguém que vivia debaixo do nosso teto, que jogava baralho com a minha mãe, tomava café da manhã e jantava à nossa mesa, recitava a bênção hebraica às sextas-feiras por pura diversão, dormia em uma de nossas camas, usava nossas toalhas, compartilhava da companhia dos nossos amigos, assistia à TV conosco nos dias chuvosos e frios em que ficávamos na sala com cobertores, todos muito confortáveis por estar ali juntos ouvindo a chuva bater nas janelas... que alguém que fazia parte do meu mundo poderia gostar do que eu gostava, querer o que eu queria, ser quem eu era. Isso nunca me passaria pela cabeça porque eu ainda estava sob a ilusão de que, a não ser pelo que eu lia em livros, deduzia de boatos e ouvia de conversas indecentes, ninguém da minha idade jamais quis ser homem *e* mulher — com homens e mulheres. Eu já tinha sentido desejo por outros homens da minha idade e dormido com algumas mulheres. Mas antes do dia em que ele saiu daquele táxi e entrou em nossa casa, nunca teria parecido minimamente possível que alguém tão jovem e tão em paz consigo mesmo desejaria compartilhar seu corpo comigo tanto quanto eu desejava entregar o meu.

Ainda assim, mais ou menos duas semanas após sua chegada, o que eu queria todas as noites era que ele saísse do seu quarto, não pela porta da frente, mas pela que dava acesso à nossa varanda. Eu queria ouvir a porta dele se abrir, ouvir suas alpargatas na sacada e em seguida o barulho da minha porta — que nunca estava trancada — sendo aberta quando ele entrasse no meu quarto depois que todos já tivessem ido dormir, deitasse embaixo das minhas cobertas, tirasse minhas roupas sem pedir e, depois de fazer com que eu o desejasse mais do que eu imaginava ser capaz de desejar outra alma, de modo gentil e suave, com a bondade que um judeu oferece ao outro, entrasse em meu corpo depois de ouvir as palavras que eu vinha ensaiando havia dias, Por favor, não me machuque, o que queria dizer Me machuque o quanto quiser.

Eu quase nunca ficava no quarto durante o dia. Nos últimos verões, tinha me apropriado de uma mesa redonda com guarda-sol à beira da piscina. Pavel, o hóspede do verão anterior, gostava de trabalhar no quarto, e ia ocasionalmente até a varanda para dar uma olhada no mar ou fumar um cigarro. Maynard, antes dele, também trabalhava no quarto. Oliver precisava de companhia. Começou se sentando à mesa comigo, mas logo passou a se deitar em um lençol grande que estendia na grama, rodeado por páginas soltas de seu manuscrito e do que gostava de dizer que eram suas "coisas": limonada, protetor solar, livros, alpargatas, óculos de sol, canetas coloridas e música, que ele ouvia com fones, para que fosse impossível falar com ele a não ser que ele falasse com você primeiro. Às vezes, quando eu descia com partituras ou outros livros de manhã, ele já estava esparramado ao sol com o calção de banho vermelho ou o amarelo, suando. Saíamos para correr ou nadar e, na volta, o café da manhã já estava esperando por nós. Então ele desenvolveu o hábito de deixar suas "coisas" na grama e deitar ao lado da piscina — que chamava de "paraíso", abreviatura de "Isto é o paraíso". Depois do almoço, Oliver costumava dizer "Vou para o paraíso agora", acrescentando, como uma piada interna entre latinistas, "ficar 'aprīcus'". Tirávamos sarro das inúmeras horas que ele passava encharcado de bronzeador, deitado exatamente no mesmo lugar à beira da piscina.

— Quanto tempo ficou *no paraíso* esta manhã? — perguntava minha mãe.

— Duas horas. Mas pretendo voltar no início da tarde para uma apricação bem mais longa.

Ir para a *orla do paraíso* também significava ficar horas deitado à beira da piscina com uma perna balançando na água, com os fones de ouvido e o chapéu de palha cobrindo o rosto.

Ele não sentia falta de nada. Eu não entendia essa sensação, sentia inveja.

— Oliver, você está dormindo? — perguntava quando o ar em volta da piscina ficava extremamente sufocante e parado.

Silêncio.

Então vinha a resposta, quase um suspiro, sem que um único músculo de seu corpo se movesse.

— Estava.

— Desculpe.

Aquele pé na água... eu beijaria cada dedo. Então beijaria seus tornozelos e seus joelhos. Quantas vezes eu já tinha olhado fixamente para o calção enquanto o chapéu cobria seu rosto? Ele não tinha como saber para onde eu estava olhando.

Ou:

— Oliver, você está dormindo?
Um longo silêncio.
— Não. Pensando.
— Em quê?
Os dedos dele dão petelecos na água.
— Na interpretação de Heidegger de um fragmento de Heráclito.
Ou, quando eu não estava tocando violão e ele não estava com os fones, mas ainda com o chapéu sobre o rosto, ele quebrava o silêncio de repente:
— Elio.
— Oi.
— O que você está fazendo?
— Lendo.
— Não está, não.
— Pensando, então.
— Em quê?
Eu morria de vontade de contar.
— É pessoal — respondia.
— Então você não vai me contar?
— Então eu não vou contar.
— Então você não vai me contar — repetia ele, pensativo.
Eu amava o jeito como ele repetia o que eu acabara de repetir. Isso me fazia pensar em um carinho, uma espécie de gesto, que aconteceu de modo acidental na primeira vez, mas intencional na segunda e ainda mais na terceira. Isso me fazia pensar no modo como Mafalda arrumava minha cama todas as manhãs, primeiro dobrando o lençol de cima sobre o cobertor, então fazendo mais uma dobra para cobrir os travesseiros e ainda uma terceira quando dobrava tudo sobre a colcha — indo e voltando, deixando, entre todas

aquelas dobras, sinais simultâneos de devoção e complacência, como a submissão em um instante de paixão.

O silêncio era sempre leve e discreto naquelas tardes.

— Não vou contar — dizia.

— Então vou voltar a dormir — respondia ele.

Mais uma vez o silêncio. Então:

— Isto é o paraíso.

E eu não ouvia mais uma palavra por pelo menos uma hora.

Não havia nada que eu amasse mais do que sentar àquela mesa e me debruçar sobre minhas transcrições enquanto ele ficava ali deitado de bruços fazendo anotações nas páginas que toda manhã ia buscar com a Signora Milani, sua tradutora em B.

— Escute isso — dizia ele de vez em quando, tirando os fones, quebrando o silêncio abafado daquelas longas manhãs de verão. — Ouça essa asneira. — E começava a ler algo que não acreditava que tinha escrito meses antes. — Isso faz sentido para você? Para mim não faz.

— Talvez fizesse quando você escreveu — respondi.

Ele pensou por um instante, como se medisse minhas palavras.

— É a coisa mais gentil que ouvi nos últimos meses... — disse ele com sinceridade, como se tivesse tido uma revelação súbita, levando o que eu tinha dito muito mais a sério do que eu imaginei que soaria.

Fiquei constrangido, desviei o olhar e finalmente murmurei a primeira coisa que me veio à cabeça:

— Gentil? — perguntei.

— É, gentil.

Eu não entendi o que gentileza tinha a ver com tudo aquilo. Ou talvez não percebesse para onde tudo aquilo se encaminhava e preferi deixar para lá. Silêncio de novo. Até a próxima vez que ele dissesse algo.

    Como eu amava quando ele quebrava o silêncio entre nós para dizer alguma coisa — qualquer coisa — ou perguntar o que eu achava de X ou se eu tinha ouvido falar de Y. Ninguém em nossa casa pedia minha opinião sobre nada. Se ele ainda não tinha percebido o motivo, logo perceberia; era questão de tempo até que passasse a concordar com a visão de todos de que eu era o bebê da família. Mas ali estava ele, na terceira semana conosco, me perguntando se eu já tinha ouvido falar de Athanasius Kircher, Giuseppe Belli e Paul Celan.

    — Ouvi, sim.

    — Sou quase uma década mais velho que você e até alguns dias atrás nunca tinha ouvido falar de nenhum deles. Não entendo.

    — Não há o que entender. Meu pai é professor universitário. Fomos criados sem TV. Entendeu agora?

    — Volte para sua música, vai! — disse ele como se tivesse enrolado uma toalha e jogado na minha cara.

    Eu gostava até mesmo do modo como ele me dispensava.

    Um dia, enquanto mudava o caderno de lugar na mesa, derrubei meu copo sem querer. Caiu na grama. Não quebrou. Oliver estava perto, levantou, pegou o copo e colocou-o não só na mesa, mas bem ao lado das minhas páginas.

    Eu não sabia quais palavras usar para agradecer.

    — Não precisava — disse finalmente.

    Ele deixou passar um tempo, o suficiente para que eu percebesse que sua resposta talvez não fosse de fato casual ou despreocupada.

    — Eu quis.

Ele quis, pensei.

Eu quis, imaginei-o repetindo — gentil, delicado, expressivo, como quando ficava de bom humor de repente.

Para mim, aquelas horas sentado à mesa de madeira redonda no jardim, com o enorme guarda-sol lançando uma sombra irregular sobre meus papéis, o barulho do gelo em nossas limonadas, o som não tão distante das ondas lambendo suavemente as rochas gigantescas lá embaixo e, em segundo plano, vindo de uma casa vizinha, o hit do momento tocando sem parar... tudo isso está eternamente gravado naquelas manhãs em que todas as minhas preces eram para o tempo parar. Que o verão nunca acabe, que ele nunca vá embora, que a música toque para sempre, estou pedindo tão pouco, e juro que nunca mais vou pedir nada.

O que eu queria? E por que eu não sabia o que queria, mesmo quando estava pronto para ser direto em minhas confissões?

Talvez eu quisesse que ele ao menos falasse que não havia nada de errado comigo, que eu não era menos humano que qualquer outro cara da minha idade. Eu teria ficado satisfeito e não pediria mais nada, se ele simplesmente se abaixasse para recolher a dignidade que eu tinha lhe entregado com tanta facilidade.

Eu era Glauco e ele era Diomedes. Em nome de um culto obscuro entre homens, eu trocava minha armadura de ouro por seu bronze. Troca justa. Nenhum dos dois barganhava, assim como nenhum dos dois falava de moderação ou extravagância.

A palavra "amizade" me vinha à mente. Mas a amizade, como os outros a definiam, me era estranha, algo inculto que não me importava. O que posso ter desejado, do segundo em que ele saiu do táxi até a despedida em Roma, talvez tenha sido o que todos os seres humanos pedem uns aos outros, o que torna a vida viável. Teria que vir dele primeiro. Só então talvez viesse de mim.

Existe uma lei em algum lugar que diz que, quando uma pessoa está completamente apaixonada pela outra, a outra deve inevitavelmente se apaixonar também. *Amor ch'a null'amato amar perdona.* Amor, que a nenhum amado amar perdoa, palavras de Francesca no *Inferno*. Espere e tenha esperança. Eu tinha esperança, embora talvez só quisesse mesmo esperar. Esperar para sempre.

Sentado à mesa redonda, trabalhando em minhas transcrições durante aquelas manhãs, não queria a amizade dele, não queria nada. Só levantar a cabeça e encontrá-lo ali, protetor solar, chapéu de palha, calção vermelho, limonada. Levantar a cabeça e encontrar você, Oliver. Pois logo chegará o dia em que levantarei a cabeça e você não estará mais ali.

No fim da manhã, amigos e vizinhos das casas próximas costumavam aparecer. Todos se reuniam em nosso jardim e saíam juntos em direção à praia lá embaixo. Nossa casa era a mais próxima da água, era só abrir o portãozinho junto à balaustrada e descer as escadas estreitas para estar nas pedras. Chiara, uma das garotas que três anos antes era mais baixa do que eu e no verão anterior não me deixava em paz, tinha desabrochado e agora era uma mulher que finalmente dominava a arte de não me cumprimentar toda vez que nos víamos. Um dia, ela e a irmã mais nova vieram com os outros, pegaram a camisa de Oliver da grama, jogaram para ele e disseram:

— Chega. Estamos indo à praia e você também vem.

Ele estava disposto a ceder.

— Vou só guardar esses papéis. Ou o pai dele — com as mãos cheias de papéis, apontou para mim com o queixo — vai me esfolar vivo.

— Falando em esfolar, vem cá — disse ela.

Com as unhas, tentou puxar lenta e delicadamente um pedaço de pele descascada do ombro bronzeado de Oliver, que agora tinha o tom dourado de um campo de trigo no fim de junho. Como eu queria poder fazer aquilo.

— Diga ao pai dele que *eu* amassei seus papéis. Vamos ver o que ele diz — acrescentou ela.

Analisando o manuscrito que Oliver deixara na mesa de jantar a caminho do quarto, Chiara gritou do andar de baixo que traduziria melhor aquelas páginas do que a tradutora local. Filha de expatriados como eu, Chiara tinha mãe italiana e pai americano. Falava inglês e italiano com os dois.

— Você também é boa de datilografia? — A voz de Oliver veio do quarto enquanto ele procurava outro calção, depois de dentro do chuveiro, portas e gavetas batendo, sapatos sendo chutados.

— Sou boa de datilografia — gritou ela, olhando para a escada vazia.

— Tão boa quanto fala bem?

— Meliore. E mio prezo também é meliore.

— Preciso de cinco páginas traduzidas por dia, prontas para serem entregues todas as manhãs.

— Enton non faço niente — respondeu Chiara, ríspida. — Procura otra persona.

— Bom, a Signora Milani precisa do dinheiro — disse ele, descendo as escadas, camisa azul esvoaçante, alpargatas, calção vermelho, óculos escuros e a edição vermelha

de Lucrécio que carregava para todo lugar. — Vou ficar com ela — continuou, passando um pouco de creme nos ombros.
— *Vou ficar com ela* — repetiu Chiara, rindo. — Vou ficar com você, você vai ficar comigo, ela vai ficar com ele...
— Parem de palhaçada e vamos logo nadar — disse a irmã de Chiara.
Demorei um tempo para perceber, mas ele tinha quatro personalidades, que dependiam do calção de banho que estivesse usando. Saber qual delas esperar me dava a ilusão de ter uma ligeira vantagem. Vermelho: ousado, teimoso, muito adulto, quase rude e mal-humorado — fique longe. Amarelo: jovial, alegre, engraçado, mas não sem farpas — não ceda tão facilmente; podemos voltar ao vermelho a qualquer momento. Verde, que ele raramente usava: dócil, curioso, falante, bem-humorado — por que não era sempre assim? Azul: a tarde em que entrou no meu quarto pela varanda, o dia em que massageou meu ombro ou quando pegou meu copo da grama e colocou bem ao meu lado.
Hoje era vermelho: fazia tudo às pressas, determinado, ríspido.
Ao sair, pegou uma maçã da grande fruteira e soltou um "Até depois, Sra. P." para minha mãe, que estava sentada com duas amigas à sombra, as três de roupa de banho. Em vez de abrir o portão que dava para a escada estreita que levava até as pedras, pulou por cima. Nunca tivemos um hóspede de verão tão liberto. Mas todos amavam isso nele, como todos aprenderam a amar o *"Até depois!"*.
— Tudo bem, Oliver, até depois, tudo bem — respondeu minha mãe, tentando falar sua língua, depois de até mesmo ter aceitado o novo título de Sra. P.

Havia sempre um tom brusco naquelas palavras. Não era "Nos vemos mais tarde" ou "Se cuida" ou mesmo "Ciao". *Até depois!* era uma saudação fria e ríspida que ignorava completamente todas as nossas delicadezas europeias. *Até depois!* sempre dava um sabor amargo a um momento que até então podia ter sido caloroso, íntimo. *Até depois!* não concluía as coisas com exatidão ou permitia que ficassem no ar. Fechava a porta na cara.

Mas *Até depois!* também era um jeito de evitar despedidas, de fazer com que todas fossem leves. Dizer *Até depois!* não significa dar adeus, mas sim que você vai voltar logo. Como quando ele respondeu "Um segundo", em inglês, no dia em que minha mãe pediu a ele que passasse o pão e ele estava ocupado com as espinhas de peixe em seu prato. *"Um segundo."* Minha mãe, que odiava o que chamava de seus *americanismos*, acabou apelidando Oliver de *Il kaiboy* — o caubói. Começou como uma provocação, mas acabou virando uma expressão carinhosa, para acompanhar o outro apelido que tinha lhe dado durante a primeira semana, quando ele desceu para o jantar depois do banho, o cabelo brilhoso penteado para trás. *Lo star*, disse ela, abreviação de *il muvi star*. Meu pai, sempre o mais tolerante de nós, mas também o mais observador, já tinha sacado o *kaiboy*.

— *È un timido*, é por isso — disse quando alguém pediu que explicasse o *Até depois!* ríspido de Oliver.

Oliver *tímido*? Essa era nova. Seriam os rudes *americanismos* nada mais do que um jeito exagerado de acobertar o simples fato de que ele não sabia — ou temia não saber — como se despedir com delicadeza? Lembrei que, durante dias, ele se recusou a comer ovos cozidos no café da manhã. No quarto ou quinto dia, Mafalda insistiu que ele não podia ir embora sem experimentar nossos ovos. Ele finalmente aceitou e admitiu, com uma vergonha genuína que nunca fez questão de esconder, que não sabia abrir um ovo quente.

— *Lasci fare a me*, Signor Ulliva, eu abro — disse ela.

Daquela manhã em diante, ela passou a trazer dois ovos ao Signor Ulliva e não servia mais ninguém enquanto não os tivesse aberto.

Mas ele já havia conquistado Mafalda antes, na terceira manhã, quando ela perguntou se ele gostava de tomar suco no café da manhã e ele disse que sim. Oliver devia estar esperando suco de laranja ou toranja, mas o que ela trouxe foi um copo cheio e quase transbordando de um grosso suco de damasco. Ele nunca tinha tomado suco de damasco. Mafalda ficou ali parada olhando para ele, a bandeja encostada no avental, tentando ler sua reação quando ele engoliu. Ele não disse nada de imediato. Então, provavelmente sem pensar, fez um barulho com os lábios. Ela estava no paraíso. Minha mãe não conseguia acreditar que pessoas que lecionavam em universidades mundialmente conhecidas estalavam os lábios ao experimentar néctar de damasco. Daquele dia em diante, um copo esperava por ele todas as manhãs.

No fim das contas, além de nunca ter tomado suco de damasco na vida, ficou perplexo ao descobrir que havia árvores de damasco, imagine só, no nosso pomar. No fim da tarde, quando não tinha outros afazeres domésticos, Mafalda pedia a ele que subisse uma escada com uma cesta e colhesse as frutas que estavam quase coradas de vergonha, segundo ela. Ele fazia graça, pegando uma fruta e perguntando, em italiano:

— Esta aqui está corada de vergonha?

— Não — respondia ela. — Esta ainda é jovem. Não tem vergonha. Isso vem com a idade.

Nunca vou esquecer a visão que tinha da minha mesa quando ele subia a pequena escada usando o calção de banho vermelho e demorava uma eternidade para colher os damascos mais maduros. A caminho da cozinha — cesta de vime, alpargatas, camisa esvoaçante, óleo bronzeador e tudo mais —, ele jogava um damasco grande na minha direção e dizia: "Para você." Com o mesmo tom de quando jogava a bola de tênis do outro lado da quadra e dizia: "Você saca."

É claro que ele não tinha ideia do que se passava pela minha cabeça minutos antes, mas as faces redondas e firmes do damasco, com a covinha no meio, me lembravam do movimento de seu corpo se esticando até os galhos da árvore, aquela bunda firme e redonda replicando a cor e o formato da fruta. Tocar o damasco era como tocá-lo. Ele nunca saberia. Assim como as pessoas de quem compramos jornal, e com quem fantasiamos a noite toda, não fazem ideia de que aquela expressão em seu rosto ou aquele bronzeado em seu ombro exposto nos darão prazer infinito quando estivermos sozinhos.

Para você, assim como *Até depois!*, tinha um quê de improviso, de *aqui, pegue,* que me fazia pensar em como meus desejos eram tortuosos e secretos em comparação à espontaneidade expansiva de tudo o que ele fazia. Ele jamais pensaria que, ao colocar o damasco em minha mão, estava me entregando sua bunda ou que, ao morder a fruta, eu também mordia aquela parte do seu corpo que devia ser mais clara que o restante porque nunca se apricava — e, perto dali, se eu ousasse ir mais longe, seu membro suculento como a fruta.

Na verdade, ele sabia mais sobre damascos do que nós — cultivo, etimologia, origens, futuro no Mediterrâneo e fora dele. À mesa do café naquela manhã, meu pai explicou que o nome da fruta — em italiano *albicocca*, *abricot* em francês, *aprikose* em alemão — vinha do árabe, como as palavras "álgebra", "alquimia" e "álcool", que combinavam um substantivo árabe com o artigo *al-* no início. A origem da palavra *albicocca* era *al-birquq*. Meu pai, que não sabia a hora de parar e precisava sempre completar sua performance com uma pequena curiosidade recente, acrescentou que o surpreendente era que em Israel e em muitos países árabes a fruta era chamada por um nome totalmente diferente: *mishmish*.

Minha mãe ficou sem reação. Todos nós, incluindo meu sobrinho, que era mais velho do que eu, tivemos o impulso de aplaudir.

Quanto à questão da etimologia, no entanto, Oliver respeitosamente discordava.

— Ahn?! — Foi a resposta perplexa do meu pai.

— Na verdade, a palavra não vem do árabe — disse ele.

— Como assim?

Meu pai claramente simulava uma ironia socrática, que começava com um inocente "É mesmo?", para logo levar o interlocutor a águas turbulentas.

— É uma longa história, então tenham paciência. — De repente, Oliver ficou sério. — Muitas palavras latinas derivam do grego. Nesse caso, no entanto, aconteceu o contrário: o grego derivou do latim. A palavra latina era *praecoquum*, de *pre-coquere*, pré-sazonar, amadurecer antes da hora, como em precoce, querendo dizer temporão. Os bizantinos emprestaram *praecox,* que virou *prekokkia* ou *berikokki,* como os árabes devem ter finalmente herdado.

Minha mãe, incapaz de resistir a seu charme, estendeu a mão, desgrenhou seu cabelo e disse:

— *Che muvi star!*

— Ele está certo, não há como negar — disse meu pai em voz baixa, como se simulasse um Galileu acovardado, obrigado a resmungar a verdade para si mesmo.

— Um oferecimento de Filologia I — disse Oliver.

Eu só conseguia pensar em *precoce, pré-coito, pré-coito, precoce*.

Um dia vi Oliver dividindo a escada com o jardineiro, tentando aprender tudo o que podia sobre os enxertos de Anchise, que explicavam por que nossos damascos eram maiores, mais frescos e mais suculentos do que a maioria dos pêssegos da região. Ele ficou fascinado com os enxertos, principalmente quando descobriu que o jardineiro passava horas compartilhando tudo o que sabia sobre eles com qualquer um que perguntasse.

Oliver, no fim, sabia mais sobre todo tipo de comida, queijo e vinho do que todos nós juntos. Até Mafalda ficava maravilhada e, de vez em quando, recorria à sua opinião.

— Você acha que eu devia refogar a massa com cebolas ou sálvia? Não está com limão demais agora? Estraguei o prato, não foi? Eu devia ter colocado mais um ovo... não está no ponto! Será que eu uso o liquidificador novo ou o bom e velho pilão?

Minha mãe não resistia a algumas provocações. Como qualquer *kaiboy*, dizia ela: sabem tudo o que é possível saber sobre comida, porque não conseguem segurar uma faca e um garfo direito. Aristocratas gastronômicos com hábitos camponeses. Sirva as refeições para ele na cozinha.

Com prazer, respondia Mafalda. E de fato, um dia, quando ele chegou muito tarde para o almoço depois de ter passado a manhã com a tradutora, lá estava o Signor Ulliva na cozinha, comendo espaguete e bebendo vinho tinto com Mafalda, Manfredi, seu marido e nosso motorista, e Anchise, todos tentando ensinar-lhe uma canção napolitana. Não se tratava apenas do hino nacional da juventude sulista, mas daquilo que tinham de melhor a oferecer quando queriam entreter a realeza.

Todos haviam sido conquistados.

Era perceptível que Chiara estava igualmente fascinada. Sua irmã também. Até os preguiçosos do tênis, que durante anos passavam ali toda tarde antes de ir para a praia nadar, agora ficavam até mais tarde na esperança de jogar uma partida com ele.

Se fosse com qualquer outro dos nossos hóspedes de verão eu teria ficado ofendido. Mas, ao perceber que todos gostavam tanto dele, eu encontrava um pequeno e estranho oásis de paz. O que poderia haver de errado em gostar de uma pessoa de que todos gostavam? Todos estavam apaixonados por ele, incluindo meus primos de primeiro e segundo graus e meu sobrinho, que ficava conosco nos finais de semana e às vezes por mais tempo. Para alguém que era conhecido por amar descobrir defeitos em todo mundo, eu encontrava certa satisfação em esconder meus sentimentos por ele por trás da indiferença, da hostilidade ou do despeito que sentia por qualquer um que pudesse me ofuscar no ambiente doméstico. Como todos gostavam dele, eu tinha que dizer que também gostava. Eu era como os homens que declaram abertamente que acham outros homens belos, de modo a ocultar o desejo de abraçá-los. Negar a aprovação universal simplesmente alertaria os outros de que eu teria motivos escusos para resistir a ele. Ah, eu gosto muito dele, dizia nos primeiros dez dias quando meu pai perguntava minha opinião. Eu usava palavras intencionalmente comprometedoras porque sabia que ninguém suspeitaria de um fundo falso na misteriosa paleta de sombras que eu aplicava em tudo o que dizia sobre ele. É a melhor pessoa que eu conheci na vida, eu disse na noite em que o barquinho de pesca no qual ele embarcara com Anchise não voltava e resolvemos procurar pelo telefone dos pais dele nos Estados Unidos para o caso de ter que dar uma notícia terrível.

Naquele dia cheguei mesmo a me obrigar a deixar de lado minhas inibições e demonstrar minha aflição, como todos os outros. Mas também o fiz para que ninguém suspeitasse de que eu alimentava dores muito mais secretas e desesperadas — até que percebi, quase envergonhado, que parte de mim não se importava se ele tivesse morrido, que havia até mesmo algo empolgante na imagem de seu corpo inchado e sem olhos finalmente aparecendo na praia.

Mas eu não enganava a mim mesmo. Estava convencido de que ninguém no mundo o desejava de modo tão primitivo quanto eu; de que ninguém estava disposto a ir até onde eu iria por ele. Ninguém tinha estudado cada osso de seu corpo, tornozelos, joelhos, pulsos, dedos das mãos e dos pés, ninguém desejava cada contração muscular, ninguém o levava para a cama todas as noites e, ao vê-lo de manhã deitado em seu *paraíso* à beira da piscina, sorria para ele, via o sorriso vir a seus lábios e pensava, Sabia que eu gozei na sua boca ontem à noite?

Talvez até os outros nutrissem outro tipo de sentimento por ele, que ocultavam e expunham a seu modo. Ao contrário dos outros, no entanto, eu era o primeiro a vê-lo quando ele entrava no jardim ao vir da praia ou quando o contorno frágil de sua bicicleta, ofuscada pela névoa da tarde, aparecia na alameda de pinheiros que levava até a nossa casa. Fui o primeiro a reconhecer seus passos quando ele chegou atrasado ao cinema e ficou procurando por nós, sem dizer uma palavra, até me virar para ele com a certeza de que ficaria feliz por eu tê-lo visto. Eu o reconhecia pela inflexão de seus passos quando subia a escada até a varanda ou passava na frente do meu quarto no corredor. Eu sabia quando ele parava diante das portas francesas do meu quarto, hesitava quanto a bater, decidia-se pelo não e continuava andando. Eu sabia que era ele pedalando pelo modo como a bicicleta derrapava com malícia no caminho de cascalho e seguia em frente quando era óbvio que não havia mais nenhuma tração, só para parar de repente, de modo brusco, e pular da bicicleta com um gesto que parecia dizer *voilà*.

Tentava sempre mantê-lo em meu campo de visão. Nunca deixava que se distanciasse demais de mim, a não ser nos momentos em que não estava comigo. E quando não estava comigo, não me importava o que ele fizesse, desde que permanecesse exatamente a mesma pessoa que era quando estava. Que ele não seja outra pessoa quando estiver distante. Que não seja alguém que eu nunca vi. Que não tenha outra vida além da que eu sei que ele tem conosco, comigo.

Que eu não o perca.

Eu sabia que não tinha nada que o prendesse, nada a oferecer, nada que o atraísse.

Eu não era nada.

Só um garoto.

Ele simplesmente dispensava sua atenção quando lhe convinha. Quando me ajudava a entender um fragmento de Heráclito, porque eu estava determinado a ler "seu" autor,

as palavras que me ocorriam não eram "gentileza" ou "generosidade", mas "paciência e tolerância", que eram mais valiosas. Momentos depois, quando ele perguntava se eu estava gostando do livro, a pergunta era motivada mais pela oportunidade de bater papo do que pela curiosidade. Tudo era casual.
  Ele ficava à vontade com o casual.
  Por que você não está na praia com os outros?
  Volte para sua música.
  Até depois!
  Para você!
  Jogar conversa fora.
  Bater papo.
  Nada.

Oliver recebia muitos convites para ir a outras casas. Era quase uma tradição com os outros hóspedes de verão também. Meu pai sempre queria que eles se sentissem livres para falar sobre seus livros e suas áreas de expertise pela cidade. Ele também acreditava que acadêmicos deviam aprender a falar com leigos, e era por isso que sempre convidava advogados, médicos e empresários para as refeições. Todo mundo na Itália já leu Dante, Homero e Virgílio, dizia ele. Não importa com quem você esteja falando, desde que cite Dante e Homero primeiro. Virgílio é obrigação, Leopardi vem logo depois, e então sinta-se à vontade para deslumbrá-los com tudo o que sabe, Celan, cela, salame, quem liga? Isso também permitia que todos os nossos hóspedes de verão aperfeiçoassem o italiano, um dos requisitos do programa. Inseri-los no circuito de jantares de B. trazia outro benefício: desobrigava-nos de jantar com eles todas as noites.

Mas os convites de Oliver acabaram se tornando vertiginosos. Chiara e a irmã queriam sua presença pelo menos duas vezes por semana. Um cartunista de Bruxelas que alugava uma *villa* durante todo o verão o queria em seus exclusivos *soupers* de domingo, frequentados por escritores e acadêmicos da região. Havia ainda os Moreschi, a três *villas* da nossa, os Malaspina de N. e os conhecidos dos bares da *piazzetta* ou do Le Danzing. Isso sem contar as noites de pôquer e bridge cuja frequência aflorava sabe-se lá como.

Sua vida, como seus papéis, mesmo quando parecia caótica estava sempre meticulosamente compartimentada. Às vezes ele pulava o jantar e simplesmente dizia a Mafalda:

— *Esco*, vou sair.

Seu *Esco*, logo percebi, era só mais uma versão do *Até depois!* Uma despedida sumária e incondicional, proferida não antes de sair, mas já à porta. Dita já de costas para aqueles que estão ficando para trás. Eu tinha pena de seus destinatários que queriam recorrer, implorar.

Não saber se ele apareceria para o jantar era uma tortura. Mas suportável. Não ousar perguntar se ele estaria lá era a verdadeira provação. A forte batida que meu coração dava ao ouvir a voz dele de repente ou ao encontrá-lo sentado no lugar de sempre, quando já tinha abandonado as esperanças de tê-lo conosco em determinada noite, era como o desabrochar de uma flor envenenada. Vê-lo e pensar que ele se juntaria a nós para o jantar e logo ouvir seu *Esco!* decisivo me ensinou que certos desejos devem ser tolhidos como as asas de uma borboleta vicejante.

Eu queria que ele fosse embora para não ter mais que lidar com ele.

Eu queria que ele morresse também, então se eu não conseguisse parar de pensar nele e de imaginar quando o veríamos novamente, ao menos a morte colocaria um fim nisso. Eu mesmo queria matá-lo, até para que ele soubesse o quanto sua simples presença me incomodava, como era insuportável o fato de ele se sentir à vontade com tudo e com todos, de aceitar tudo com facilidade, de não se incomodar com nada, de pular a cerca para ir à praia quando todos abriam o portão, isso para não falar dos calções de banho, do seu lugar no paraíso, do *Até depois!* insolente, do estalar de lábios por amor ao suco de damasco. Se não o matasse, então o deixaria aleijado para sempre, para que ficasse conosco em uma cadeira de rodas e nunca mais voltasse para os Estados Unidos. Se ficasse paraplégico, eu sempre saberia seu paradeiro e seria fácil encontrá-lo. Eu me tornaria seu senhor e me sentiria superior a ele, se fosse aleijado.

Então percebi que em vez disso eu poderia me matar, ou me ferir gravemente e fazer com que ele soubesse o porquê. Se machucasse meu rosto, queria que ele me olhasse e se perguntasse por quê; por que alguém faria isso consigo mesmo, até que, anos depois — sim, *depois!* —, finalmente ele juntasse as peças e batesse a cabeça na parede.

Às vezes era Chiara quem devia ser eliminada. Eu sabia o que ela estava tramando. Com a mesma idade que eu, seu corpo estava mais do que pronto para ele. Mais do que o meu? Eu me perguntava. Ela estava a fim dele, isso era claro, enquanto tudo o que eu queria era uma noite com ele, só uma noite — uma hora, até —, só para saber se eu ia desejá-lo outra vez. O que eu não percebia era que essa vontade de testar o desejo nada mais é do que um ardil para conseguir o que se quer sem admitir o desejo. Tinha pavor de pensar no quanto ele poderia ser experiente. Se ele fazia amigos com tanta facilidade em semanas, era fácil imaginar como seria a vida na sua cidade. Imagine deixá-lo à solta em uma cidadezinha da Nova Inglaterra.

A coisa com Chiara aconteceu tão naturalmente que estava na cara. Ele amava dar uma *gita* em alto-mar no barco a remo com ela, ele nos remos enquanto ela tomava sol, tirando a parte de cima do biquíni quando paravam longe da costa.

Eu assistia. Temia perdê-lo para ela. Temia perdê-la para ele também. Mas pensar nos dois juntos não me desanimava. Eu ficava duro, embora não soubesse se o que me excitava era o corpo dela sob o sol, o dele ao lado do dela, ou os dois juntos. De onde eu estava, encostado na cerca do jardim que dava para a costa, eu estreitava os olhos e finalmente via os dois deitados ao sol um ao lado do outro, provavelmente se agarrando, a coxa dela por cima da dele, minutos depois a dele por cima da dela. Eles não tinham tirado a roupa. Isso me deixava aliviado, mas certa noite, quando vi os dois dançando, algo me disse que aqueles não eram movimentos de pessoas que se limitavam a carícias intensas.

Na verdade, eu gostei de vê-los dançando juntos. Talvez vê-lo dançando daquele jeito com alguém tenha feito com que eu percebesse que ele não estava disponível, que não havia motivos para ter esperança. E isso era bom. Ajudava na minha recuperação. Talvez pensar assim fosse um sinal de que a recuperação já estava acontecendo. Eu tinha pastado na zona proibida e saído suficientemente ileso.

Mas, quando meu coração bateu com força na manhã seguinte, no momento em que eu o vi no lugar de sempre no jardim, soube que desejar o melhor aos dois e ansiar pela recuperação não tinha nada a ver com o que eu ainda queria dele.

O coração dele batia forte quando me via entrar?

Eu duvidava.

Ele me ignorou como eu o havia ignorado naquela manhã: de propósito, para me afastar, para se proteger, para demonstrar que eu não era nada para ele? Ou estava realmente distraído, como quando as pessoas não conseguem perceber as dicas mais óbvias porque simplesmente não estão prestando atenção, não sentem atração, não estão interessadas?

Quando ele e Chiara dançaram, vi que ela deslizava a coxa entre as pernas dele. E já tinha visto os dois brincando de luta na areia. Quando é que isso tinha começado? E por que eu não estava lá no momento em que começou? E por que ninguém me falou? Por que eu não era capaz de reconstruir o momento exato em que de x eles progrediram para y? Com certeza os sinais estavam à minha volta. Por que não os vi?

Comecei a não pensar em nada além do que os dois poderiam fazer juntos. Faria tudo para estragar qualquer oportunidade que tivessem de ficar sozinhos. Teria falado mal de um para o outro, e depois usado a reação para instigar o primeiro. Mas também queria vê-los se envolvendo, queria participar, queria que eles me devessem algo e fizessem de mim o cúmplice necessário, o intermediário, o peão que se tornou tão vital para o rei e a rainha que agora domina o tabuleiro.

Passei a dizer coisas boas de um para o outro, fingindo não fazer ideia de como estava a situação entre eles. Oliver achou que eu estava sendo evasivo. Ela disse que sabia se cuidar sozinha.

— Você está tentando nos juntar? — perguntou ela, tentando não rir.

— O que você tem a ver com isso? — indagou ele.

Descrevi o corpo de Chiara nu, que tinha visto dois anos antes. Eu queria excitá-lo. Não me importava o que ele desejasse desde que estivesse excitado. Também o descrevia para ela, porque queria ver se ela se excitava do mesmo modo que eu, para poder comparar nossos sentimentos e ver qual dos dois era genuíno.

— Você está tentando fazer com que eu goste dela?

— Que mal teria nisso?

— Mal nenhum. Mas prefiro que isso aconteça por mim mesmo, se não se importa.

Demorei um tempo para entender o que eu realmente queria com aquilo. Não só fazer que ele ficasse excitado diante de mim, ou que ele precisasse de mim, mas, ao incentivá-lo a falar sobre Chiara, eu a tinha transformado em objeto de fofoca masculina. Isso permitiria que nos aproximássemos por meio dela, que superássemos a distância entre nós ao admitir que nos sentíamos atraídos pela mesma mulher.

Ou eu só queria que ele soubesse que eu gostava de garotas.

— Olha, é muita gentileza sua. Muito obrigado. Mas não faça isso.

Sua repreensão foi um aviso de que ele não participaria do meu jogo. Ele estava me colocando em meu lugar.

Não, ele fazia o tipo nobre, pensei. Não era como eu, sinistro, baixo e traiçoeiro. O que fez com que minha agonia e minha vergonha aumentassem. Agora, além de sentir vergonha por desejá-lo como Chiara desejava, eu o respeitava e temia, e o odiava por fazer com que eu me odiasse.

Na manhã após aquela noite em que vi os dois dançando, não fiz menção de me juntar a ele. Nem ele de se juntar a mim. Quando sugeri que fôssemos correr, porque o silêncio havia se tornado insuportável, ele disse que já tinha ido.
— Você tem acordado tarde ultimamente.
Inteligente, pensei.
De fato, nas últimas manhãs, eu tinha ficado tão acostumado a encontrá-lo esperando por mim, que me tornei descuidado e não me preocupava mais com a hora de levantar. Aquela seria uma bela lição.
Na manhã seguinte, embora quisesse nadar com ele, descer pareceria uma resposta humilhante à repreensão. Então, fiquei no quarto. Só para não dar o braço a torcer. Ouvi seus passos leves na varanda, quase na ponta dos pés. Estava me evitando.
Desci bem mais tarde. Ele já tinha saído para entregar suas correções e pegar as últimas páginas com a Signora Milani.
Paramos de nos falar.
Mesmo quando compartilhávamos o lugar de sempre pela manhã, a conversa, quando acontecia, era inútil, só para tampar buracos. Não dava nem para dizer que aquilo era jogar conversa fora.
Isso não o chateava. Não devia nem pensar na questão.
Como é possível alguém fazer de tudo para tentar se aproximar de você, e você não dar a mínima atenção nem pensar no assunto quando duas semanas se passam sem que vocês troquem ao menos uma palavra? Ele fazia alguma ideia? Eu deveria falar alguma coisa?
O romance com Chiara começou na praia. Ele passou a ignorar o tênis e a andar de bicicleta com ela e os amigos

pelas cidades mais distantes ao longo da costa ao entardecer. Certo dia, eles estavam em um grupo muito grande, e Oliver me perguntou se eu me importava que Mario pegasse minha bicicleta emprestada, já que eu não estava usando.
	Voltei a ter seis anos.
	Encolhi os ombros, querendo dizer Pode pegar, nem ligo. Mas assim que eles saíram subi as escadas correndo e comecei a chorar no travesseiro.
	Às vezes nos encontrávamos à noite no Le Danzing. Nunca dava para saber se Oliver estaria lá. Ele simplesmente aparecia, e desaparecia tão repentinamente quanto tinha aparecido, às vezes sozinho, às vezes com outras pessoas. Quando Chiara vinha à nossa casa, como fazia desde que era criança, ela sentava no jardim e ficava olhando para a praia, basicamente esperando que ele aparecesse. Então, quando passavam alguns minutos e não tínhamos nada a dizer um ao outro, ela finalmente perguntava:
	— C'è Oliver?
	Ele foi ver a tradutora. Ou: Está na biblioteca com meu pai. Ou: Está na praia.
	— Bom, então vou embora. Diga que eu passei aqui.
	Acabou, eu pensava.
	Mafalda balançava a cabeça com um olhar de repreensão compassivo.
	— Ela é uma criança. Ele é professor universitário. Por que ela não encontra alguém da idade dela?
	— Ninguém pediu sua opinião — rebateu Chiara, que entreouviu o que Mafalda havia dito e não aceitava ser criticada por uma cozinheira.
	— Não fale assim comigo ou parto a sua cara — disse nossa cozinheira napolitana com a palma da mão erguida.

— Não tem nem dezessete anos e sai por aí atrás de peitorais à mostra? Acha que eu não percebo?

Eu imaginava Mafalda inspecionando os lençóis de Oliver toda manhã. Ou trocando informações com a empregada de Chiara. Nenhum segredo escapava à sua rede de empregadas *perpetue* bem-informadas.

Eu olhava para Chiara e via que estava sofrendo.

Todos suspeitavam que havia algo entre eles. Às vezes, à tarde, ele avisava que ia até o galpão ao lado da garagem pegar uma das bicicletas para ir à cidade. Uma hora e meia depois voltava. A tradutora, explicava.

— A tradutora. — A voz do meu pai ressoava enquanto desfrutava um conhaque depois do jantar.

— *Traduttrice*, sei — entoava Mafalda.

Às vezes nos encontrávamos na cidade.

Do *caffè* onde costumava encontrar alguns amigos à noite, depois do cinema ou antes de ir à boate, vi Chiara e Oliver saindo de um beco juntos, conversando. Ele estava tomando sorvete e ela se agarrava ao braço livre dele com as mãos. Quando se tornaram tão íntimos? A conversa parecia séria.

— O que está fazendo aqui? — disse ele ao me ver.

Oliver usava a ironia tanto para se proteger como para tentar esconder o fato de que não nos falávamos mais. Golpe baixo, pensei.

— Dando uma volta.

— Já não passou da hora de você estar na cama?

— Meu pai não tem disso — rebati.

Chiara estava imersa em seus pensamentos. Evitava meu olhar.

Será que ele tinha contado sobre as coisas que eu dissera a respeito dela? Parecia chateada. Estava incomodada com minha intrusão repentina no mundinho deles? Lembrei do tom de voz que ela usara na manhã em que explodiu com Mafalda. Um sorriso surgiu em seu rosto, estava prestes a dizer algo cruel.

— Na casa deles nunca teve hora para dormir, nenhuma regra, nenhuma supervisão, nada. Por isso ele é um menino tão comportado. Não é óbvio? Não tem motivos para se rebelar.

— Isso é verdade?

— Talvez — respondi, tentando minimizar a questão antes que eles fossem longe demais. — Todos nos rebelamos de alguma forma.

— É mesmo? — perguntou ele.

— Dê um exemplo — desafiou Chiara.

— Você não entenderia.

— Ele lê Paul Celan — interrompeu Oliver, tentando mudar de assunto, mas talvez também para me salvar e mostrar, sem deixar muito claro, que não tinha esquecido nossa conversa anterior.

Estaria tentando me trazer de volta depois daquele golpe seco sobre eu acordar tarde, ou seria o início de mais uma piada às minhas custas? Um olhar neutro penetrante tomava conta de seu rosto.

— *E chi è?* — Ela nunca tinha ouvido falar de Celan.

Lancei a ele um olhar de cumplicidade. Ele percebeu, mas não havia sinal de malícia em seus olhos quando finalmente correspondeu. De qual lado ele estava?

— Um poeta — sussurrou enquanto eles andavam em direção ao centro da *piazzetta*, e então soltou para mim seu casual *Até depois.*

Fiquei olhando enquanto eles procuravam por uma mesa livre em um dos *caffès* próximos.

Meus amigos perguntaram se ele estava dando em cima dela.
Não sei, respondi.
Já está pegando, então?
Eu também não sabia.
Eu queria estar no lugar dele.
Quem não queria?
Mas eu estava no paraíso. O fato de ele não ter esquecido nossa conversa sobre Celan me deu uma dose de alegria que eu não sentia havia muitos, muitos dias. Se espalhou por tudo o que eu tocava. Uma palavra, um olhar, e eu estava no paraíso. Ser feliz talvez não fosse tão difícil, afinal. Eu só precisava encontrar a fonte de felicidade dentro de mim em vez de esperar que ela viesse dos outros na próxima vez.

Lembrei da cena da Bíblia na qual Jacó pede água a Raquel e, ao ouvi-la dizer as palavras que foram profetizadas para ele, joga as mãos para o céu e beija o chão perto do poço. Eu judeu, Celan judeu, Oliver judeu — vivíamos no gueto e no oásis de um mundo cruel e implacável onde, de repente, não estamos mais entre estranhos, não há mal-entendido e ninguém nos julga, onde simplesmente conhecemos um ao outro tão profundamente que ser privado dessa intimidade é *galut*, palavra hebraica que significa degredo e exílio. Então seria ele meu lar, meu regresso? Você é meu regresso, Oliver. Quando estou com você e estamos bem juntos, não há nada que eu queira além disso. Você me faz gostar de quem eu sou, de quem me torno quando você está comigo. Se existe alguma verdade no mundo, ela existe quando estou com você, e se eu tiver coragem para contar minha verdade a você um dia, me lembre de acender uma vela em cada altar de Roma para dar graças.

Nunca tinha pensado que, se uma palavra dele podia me deixar tão feliz, existia outra capaz de me destruir com a mesma facilidade. Nunca tinha pensado que, se eu não queria ser infeliz, precisava aprender a prestar igual atenção a essas pequenas alegrias.

Mas, naquela noite, usei a alegria inebriante para falar com Marzia. Dançamos a noite toda, e depois a acompanhei até em casa pela praia. Paramos. Eu disse que estava tentado a dar um mergulho, esperando que ela me dissuadisse. Mas ela falou que também amava nadar à noite. Em um segundo nossas roupas estavam no chão.

— Você não está comigo porque está com raiva da Chiara?

— Por que eu estaria com raiva da Chiara?

— Por causa dele.

Balancei a cabeça, fingindo uma expressão confusa para demonstrar que não fazia ideia de onde ela poderia ter tirado aquilo.

Ela pediu que eu me virasse e não olhasse enquanto ela usava a blusa para secar o corpo. Fingi espiar, mas era obediente demais para não fazer o que me mandavam. Não ousei pedir que ela não olhasse enquanto eu vestia minhas roupas, mas fiquei feliz por ela ter se virado. Quando não estávamos mais nus, peguei sua mão e beijei a palma, então beijei o espaço entre seus dedos, e em seguida seus lábios. Ela demorou a retribuir, mas depois não queria parar.

Combinamos de nos encontrar no mesmo lugar na noite seguinte. Eu chegaria antes, disse.

— Não conte para ninguém — pediu ela.

Fiz um gesto de boca fechada.

* * *

— Quase transamos — disse a meu pai e a Oliver na manhã seguinte durante o café.

— E por que ficaram no quase? — perguntou meu pai.

— Sei lá.

— Melhor tentar e fracassar... — Oliver estava ao mesmo tempo tirando sarro e me consolando.

— Só me faltou coragem para ir adiante, ela teria deixado — disse, em parte para evitar mais críticas de um deles, mas também para deixar claro que, se era para tirar sarro, eu sabia muito bem rir de mim mesmo.

Eu estava me exibindo.

— Tente de novo depois — disse Oliver.

Era o que as pessoas bem-resolvidas faziam. Mas eu também sentia que ele estava querendo dizer mais do que aquilo, talvez por haver algo de inquietante em seu presunçoso *tente de novo depois*, ainda que bem-intencionado. Ele estava me criticando. Ou tirando sarro de mim. Ou sacando meu disfarce.

Percebi isso quando ele finalmente disse o que queria. Só alguém que tivesse me sacado completamente diria aquilo.

— Se não depois, quando?

Meu pai gostou.

— Se não depois, quando?

Ecoava as famosas palavras de Hilel. *Se não agora, quando?*

Oliver tentou na mesma hora retirar sua observação contundente.

— Eu com certeza tentaria de novo. E de novo.

Era a versão mais amena. Mas *tente de novo depois* era a versão velada de *se não depois, quando?*

Repeti aquela frase como se fosse um mantra profético que revelava como ele vivia sua vida e como eu tentava viver a minha. Repetindo o mantra que saíra de sua boca, talvez eu tropeçasse em alguma passagem secreta ou verdade latente que até então tinha me escapado, sobre mim, sobre a vida, sobre os outros, sobre minha relação com os outros.

Tente de novo depois eram as últimas palavras que eu dizia a mim mesmo toda noite, quando jurava que faria alguma coisa para trazer Oliver para mais perto de mim. *Tente de novo depois* significava não tenho coragem agora. As coisas *ainda* não estavam no ponto. Onde eu encontraria a força e a coragem para *tentar de novo depois* eu não sabia. Mas decidir fazer alguma coisa em vez de esperar passivamente fez com que eu me sentisse como se já estivesse fazendo algo, como se obtivesse lucro de um dinheiro que não investi, aliás, que ainda nem tinha.

Mas eu também sabia que estava me protegendo atrás da ideia de *tente de novo depois*, e que meses, estações, anos inteiros, uma vida passariam e eu não teria nada além de *tente de novo depois* carimbado em todos os meus dias. *Tente de novo depois* funcionava para pessoas como Oliver. *Se não depois, quando?* era meu xibolete.

Se não depois, quando? E se ele tivesse me sacado completamente e descoberto cada um dos meus segredos com aquelas quatro palavras incisivas?

Eu tinha que demonstrar minha total indiferença em relação a ele.

O que me fez entrar em parafuso foi conversar depois com Oliver algumas manhãs no jardim e descobrir não só que ele estava ignorando tudo o que eu dizia em nome de Chiara, mas que eu estava completamente enganado.

— Como assim enganado?
— Não estou interessado.

Não entendi se ele não estava interessado na conversa ou em Chiara.

— Todo mundo está interessado.

— Bom, pode ser. Mas eu não estou.

Ainda não estava claro.

Sua voz parecia ao mesmo tempo seca, irritadiça e grosseira.

— Mas eu vi vocês.

— O que você viu não é da sua conta. Em todo caso, não vou entrar nesse joguinho nem com ela nem com você.

Ele deu uma tragada no cigarro e me encarou com o olhar frio e ameaçador de sempre, capaz de penetrar a pele de qualquer um com precisão cirúrgica.

Eu dei de ombros

— Bem, me desculpe — disse, e voltei para meus livros.

Eu tinha passado dos limites mais uma vez e não havia como sair daquela situação com alguma elegância a não ser admitindo que eu tinha sido terrivelmente indiscreto.

— Talvez *você* devesse tentar — sugeriu ele.

Nunca tinha ouvido aquele tom suave em sua voz. Era eu quem costumava flertar com o decoro.

— Ela não está interessada em mim.

— Você gostaria que ela estivesse?

Aonde essa conversa estava indo e por que eu tinha a sensação de que logo cairia em uma armadilha?

— Não...? — respondi com cautela, sem perceber que a hesitação tinha feito com que meu "não" soasse quase como uma pergunta.

— Tem certeza?

Será que, por acaso, eu tinha convencido Oliver de que estava interessado nela esse tempo todo?

Olhei para ele como se estivesse devolvendo o desafio.
— O que você está insinuando?
— Eu sei que você gosta dela.
— Você não faz a menor ideia do que eu gosto — rebati.
— A menor ideia.

Eu estava tentando parecer capcioso e misterioso, como se estivesse falando de um domínio da experiência humana que alguém como ele jamais conheceria. Mas só consegui parecer irritado e histérico.

Um leitor menos perspicaz da alma humana veria em minha insistente negativa sinais de uma tentativa de acobertar uma confissão sobre Chiara.

Um observador mais perspicaz, no entanto, consideraria a indicação de uma verdade completamente diferente: abra a porta por sua conta e risco — acredite, você não quer ouvir isso. Talvez seja melhor você desistir agora, enquanto ainda há tempo.

Mas eu também sabia que se ele demonstrasse qualquer sinal, por menor que fosse, de que sabia a verdade, eu faria de tudo para deixá-lo à deriva imediatamente. Se, no entanto, ele não suspeitasse de nada, minhas palavras desorientadas o deixariam ilhado da mesma forma. No fim, eu ficaria mais feliz se ele achasse que eu estava interessado em Chiara do que se ele insistisse no assunto e eu acabasse tropeçando nas palavras. Sem saber o que dizer, eu teria admitido coisas que eu não tinha planejado ou não sabia se queria admitir. Sem saber o que dizer, eu teria ido aonde meu corpo desejava muito antes do que com qualquer *bon mot* ensaiado por horas. Eu teria ficado vermelho, e ainda mais vermelho por ter ficado vermelho, me atrapalhado com as palavras e desmoronado... e aonde isso levaria? O que ele diria?

Melhor desmoronar agora, pensei, do que viver mais um dia fazendo malabarismos com minhas decisões inverossímeis de *tentar de novo depois*.

Não, era melhor que ele não soubesse. Eu podia aceitar isso. Eu podia sempre, sempre viver com isso. Nem mesmo me surpreendia a facilidade com que eu aceitava essa alternativa.

E, no entanto, do nada, um momento de carinho surgia tão de repente entre nós que as palavras que eu desejava dizer quase escorregavam dos meus lábios. Momentos dignos do calção de banho verde, ainda que minha teoria das cores tivesse sido claramente refutada, e eu já não esperasse gentileza nos dias "azuis" ou ficasse mais cuidadoso em dias "vermelhos".

A música era um assunto fácil entre nós, principalmente quando eu estava ao piano. Ou quando ele pedia que eu tocasse algo como fulano ou sicrano. Ele gostava das minhas combinações de dois, três e até quatro compositores tocando a mesma peça, que depois era transcrita por mim. Um dia, Chiara começou a cantarolar uma melodia conhecida e, de repente, já que estava ventando e ninguém queria ir à praia e nem ficar lá fora, nossos amigos se reuniram na sala em volta do piano enquanto eu improvisava uma variação de Brahms da interpretação da peça de Mozart.

— Como você faz isso? — perguntou ele certa manhã deitado no paraíso.

— Às vezes a única maneira de entender um artista é se colocar no lugar dele, estar dentro dele. Então todo o resto flui naturalmente.

Voltamos a falar sobre livros. Eu quase nunca falava sobre livros com ninguém além do meu pai.

Ou falávamos sobre música, os filósofos pré-socráticos, sobre fazer faculdade nos Estados Unidos.

Ou Vimini aparecia.

A primeira vez que ela se intrometeu nas nossas manhãs foi exatamente no momento em que eu estava tocando uma variação das últimas variações de Brahms sobre canções de Handel.

A voz dela rompeu o calor intenso da manhã.

— O que você está fazendo?

— Trabalhando — respondi.

Oliver, deitado de bruços à beira da piscina, olhou para cima, o suor escorrendo entre as escápulas.

— Eu também — respondeu ele quando ela lhe fez a mesma pergunta.

— Você está falando, não é trabalho.

— Dá na mesma.

— Eu queria poder trabalhar. Mas ninguém me dá trabalho.

Oliver, que nunca tinha visto Vimini, olhou para mim com desespero, como se não conhecesse as regras daquela conversa.

— Oliver, esta é Vimini, ela mora na casa ao lado.

A garota estendeu a mão, e ele a cumprimentou.

— Vimini e eu fazemos aniversário no mesmo dia, mas ela tem dez anos. Além disso, ela é um gênio. Não é verdade que você é um gênio, Vimini?

— É o que dizem. Mas para mim parece que não é bem assim.

— Por quê? — perguntou Oliver, tentando não deixar transparecer um ar de superioridade.

— Seria uma piada de muito mau gosto da natureza me fazer um gênio.

Oliver pareceu mais confuso do que nunca.
— Como é?
— Ele não sabe, não é? — perguntou ela.
Balancei a cabeça.
— Dizem que talvez eu não viva muito.
— Por que está dizendo isso? — Oliver parecia totalmente atordoado. — Como você sabe?
— Todo mundo sabe. Porque eu tenho leucemia.
— Mas você é tão bonita, saudável e inteligente — protestou ele.
— Como eu disse, uma piada de mau gosto.

Oliver, agora ajoelhado na grama, literalmente deixou seu livro cair.
— Você podia ir lá em casa ler para mim um dia — disse ela. — Sou muito legal... e você também parece ser muito legal. Bom, tchau.

Ela subiu no muro.
— E desculpe se eu assustei você... bem...

Como se a música já não tivesse nos aproximado pelo menos por algumas horas naquele dia, a aparição de Vimini nos aproximou ainda mais.

Falamos sobre ela a tarde toda. Eu não precisei procurar assunto nem uma vez. Ele falou e perguntou bastante. Oliver estava fascinado. Para variar, eu não estava falando sobre mim.

Logo os dois se tornaram amigos. Ela estava sempre acordada quando ele voltava da corrida ou do mergulho matinal, os dois andavam juntos até o nosso portão e desciam as escadas com muito cuidado, iam até uma das pedras grandes onde sentavam e conversavam até a hora do café da manhã. Eu nunca tinha visto uma amizade tão bonita ou tão intensa. Nunca senti ciúme, e ninguém, certamente não eu, ousava interrompê-los ou tentar ouvir o que diziam. Jamais vou me esquecer de como ela dava a mão para ele depois que abriam o portão da escada que dava para as pedras. Ela raramente se aventurava até lá, a não ser que estivesse acompanhada de alguém mais velho.

Quando penso naquele verão, nunca consigo estabelecer uma sequência para os acontecimentos. Existem algumas cenas-chave. Além delas, só lembro dos momentos corriqueiros. O ritual matutino antes e depois do café: Oliver deitado na grama, ou à beira da piscina, eu sentado à minha mesa. Depois o mergulho ou a corrida. Ele pegando a bicicleta e indo encontrar a tradutora na cidade. O almoço na mesa grande à sombra no outro jardim, ou o almoço dentro de casa, sempre um ou dois convidados para a labuta prandial. As tardes exuberantes e esplêndidas, de sol e silêncio abundantes.

E há também cenas de verões anteriores: meu pai sempre se perguntando o que eu fazia com meu tempo, por que eu estava sempre sozinho; minha mãe me incentivando a fazer novos amigos se os velhos não me interessavam, mas, acima de tudo, a não ficar em casa o tempo todo — livros, livros, livros, sempre livros, só tocando violão, os dois implorando que eu jogasse mais tênis, saísse para dançar à noite, conhecesse pessoas, descobrisse por mim mesmo por que os outros são tão necessários na vida e não só corpos estranhos que andam ao nosso lado. Faça loucuras, se precisar, diziam, sempre tentando desenterrar os sinais misteriosos e reveladores de um coração partido que tanto ele quanto ela, desajeitada, intrusiva e devotamente, desejavam curar logo, como se eu fosse um soldado que entrou em seu jardim e cujo ferimento precisa ser estancado imediatamente ou resultará em morte. Você sempre pode conversar comigo. Eu já tive a sua idade, dizia meu pai. As coisas que você sente e pensa que só você sente, acredite, vivi e sofri todas elas, mais de uma vez; algumas nunca superei e de outras sei tão pouco quanto você, mas conheço cada curva, cada pedágio, cada compartimento do coração humano.

Há outras cenas: o silêncio pós-almoço — alguns cochilando, outros trabalhando, outros lendo, o mundo inteiro relaxado em semitons abafados. Horas celestiais, em que as vozes do mundo fora da nossa casa entravam tão suavemente que eu tinha certeza de estar cochilando. O tênis à tarde. Banho e drinques. A espera pelo jantar. Mais convidados. Jantar. Sua segunda ida à tradutora. Passear pela cidade e voltar tarde da noite, às vezes sozinho, às vezes com amigos.

E há as exceções: a tarde chuvosa que passamos sentados na sala, ouvindo música, o granizo batendo em todas as janelas da casa. As luzes se apagaram, a música acabou, e tudo o que nos restou foi o rosto uns dos outros. Uma tia falando sobre os anos terríveis que passou em St. Louis, no Missouri, que ela pronunciava *San Lui*, minha mãe espalhando aroma de chá e, no fundo, vindo lá da cozinha, as vozes de Manfredi e Mafalda, sussurros esparsos de um casal discutindo em sibilos altos. Lá fora, a figura magra, encoberta e encapuzada do jardineiro lutando contra as intempéries, sempre arrancando ervas daninhas mesmo na chuva, meu pai fazendo sinal com os braços na janela da sala, volte, Anchise, volte.

— Esse homem parece uma assombração — dizia minha tia.

— Pois a assombração tem um coração de ouro — respondia meu pai.

Mas todas aquelas horas eram marcadas pelo medo, como se o medo fosse um fantasma, ou um pássaro estranho e perdido preso em nossa cidadezinha e cuja asa escura lançava sobre cada ser vivo uma sombra que jamais dispersaria. Eu não sabia do que eu tinha medo, ou por que me preocupava tanto, ou por que aquela coisa que me causava tanto pânico às vezes parecia esperança e, como a esperança nos momentos mais sombrios, trazia tanta alegria, uma alegria irreal, uma alegria que trazia consigo uma armadilha. A forte batida do meu coração quando ele aparecia sem aviso me aterrorizava e me fazia vibrar ao mesmo tempo. Eu tinha medo quando ele aparecia, medo quando não aparecia, medo quando ele olhava para mim, ainda mais medo quando não olhava. Por fim, a agonia me esgotava e, nas tardes escaldantes, eu simplesmente me entregava e caía no sono no sofá da sala e, embora sonhasse, sabia exatamente quem estava no cômodo, quem entrava e saía de fininho, quem parava por ali, quem ficava olhando para mim e por quanto tempo, quem tentava pegar a seção desejada do jornal do dia fazendo o mínimo de barulho possível e acabava desistindo e procurando pela programação do cinema sem se preocupar se ia me acordar ou não.

O medo nunca ia embora. Eu acordava com ele, sentia virar alegria ao ouvi-lo tomar banho de manhã, sabendo que se juntaria a nós para o café, e a alegria azedar quando, em vez de sentar-se conosco, ele passava apressado e ia direto para o jardim trabalhar. Ao meio-dia, a agonia de esperar ouvi-lo dizer qualquer coisa já era insuportável. Sabia que o sofá estaria esperando por mim em uma ou duas horas. Eu me odiava por me sentir tão infeliz, tão invisível, tão atingido, tão imaturo. Diga alguma coisa, me toque, Oliver. Olhe para mim por tempo suficiente para ver as lágrimas marejando meus olhos. Bata à minha porta à noite e veja se eu já não a deixei aberta para você. Entre. Sempre tem espaço para você na minha cama.

O que eu mais temia eram os dias em que não o via por longos períodos — tardes inteiras e às vezes noites sem saber onde ele estava. Às vezes, eu o via atravessando a *piazzetta* ou falando com pessoas que eu não conhecia. Mas isso não contava, porque na *piazzetta*, onde as pessoas costumavam se reunir perto da hora de ir embora, ele raramente olhava para mim, só dava um aceno, que poderia não ser exatamente para mim, mais para o meu pai, de quem eu calhava de ser filho.

Meus pais, principalmente meu pai, não poderiam estar mais felizes. Oliver estava se saindo melhor do que a maioria dos hóspedes de verão. Ele ajudava meu pai a organizar seus documentos, dava conta de grande parte de sua correspondência estrangeira e seu livro claramente estava avançando. O que ele fazia em sua vida particular ou com seu tempo livre só dizia respeito a ele. *Se a juventude se limitar ao trote, quem andará a galope?* Era a estranha máxima do meu pai. Na nossa casa, Oliver não tinha como errar.

Como meus pais não davam atenção a suas ausências, achei que seria mais seguro nunca demonstrar que elas me causavam ansiedade. Mencionava a ausência de Oliver só quando um deles perguntava por onde ele andava; fingia estar tão surpreso quanto eles. Ah, é mesmo, faz tempo que ele saiu. Não, não faço ideia. E também precisava ter cuidado para não parecer surpreso demais, pois poderia soar falso e ia alertá-los quanto ao que estava me consumindo. Eles reconheceriam a má-fé no ato. Eu ficava surpreso por ainda não terem percebido. Sempre diziam que eu me *apegava demais* às pessoas. Naquele verão, no entanto, finalmente entendi o que eles queriam dizer com *apegar demais*. Obviamente já tinha acontecido antes, e eles provavelmente haviam percebido quando eu era novo demais para perceber por mim mesmo. Aquilo disparou alarmes em suas vidas. Eles se preocupavam comigo. E eu sabia que o sentimento não era infundado, só esperava que nunca soubessem o quanto as coisas tinham avançado para além de suas preocupações comuns. Sabia que não suspeitavam de nada, e isso me preocupava — ainda que eu não quisesse que suspeitassem. Se eu não era mais transparente e agora conseguia disfarçar parte tão considerável da minha vida, então finalmente estava a salvo, deles e dele — mas a que preço? E eu queria mesmo estar a salvo de qualquer pessoa?

Não havia com quem conversar. Para quem eu poderia contar? Mafalda? Ela iria embora. Minha tia? Provavelmente ela contaria para todo mundo. Marzia, Chiara, meus amigos? Todos me abandonariam em um segundo. Meus primos, quando viessem? Nunca. Meu pai era extremamente liberal — mas e quanto a isso? Quem mais? Devia escrever para algum dos meus professores? Consultar um médico? Dizer que precisava de um psicólogo? Contar ao Oliver?

Contar ao Oliver. Não posso contar a mais ninguém, Oliver, então, sinto muito, mas vai ter que ser você...

Certa tarde, quando a casa estava totalmente vazia, fui até o quarto dele. Eu sabia que ele não estava em casa. Abri o armário e, como aquele era meu quarto quando não havia nenhum hóspede, fingi procurar alguma coisa que tinha deixado em uma das gavetas. Eu planejava vasculhar seus papéis, mas, assim que abri o armário, ali estava ele. Pendurado em um cabide, o calção de banho vermelho que ele tinha usado naquela manhã. Pendurado ali e não na varanda para secar, porque ele não tinha ido nadar com ele. Peguei o calção. Nunca tinha mexido nos pertences de alguém antes. Levei o tecido ao rosto, esfreguei o rosto dentro dele, como se tentasse me aconchegar e me perder em suas costuras. Então esse é seu cheiro quando não está coberto de protetor solar, esse é seu cheiro, esse era seu cheiro, repeti várias vezes para mim mesmo, procurando dentro do calção por algo ainda mais pessoal e depois beijando cada pedaço, quase desejando encontrar um pelo, qualquer coisa, lambê-lo, colocá-lo inteiro na boca e, se fosse capaz de roubá-lo, ficar com ele para sempre, nunca deixar que Mafalda o lavasse, pegá-lo nos meses de inverno em casa e, ao cheirá-lo, trazê-lo de volta à vida, tão nu quanto estava naquele exato momento comigo. Por impulso, tirei meu calção e comecei a vestir o dele. Eu sabia o que queria, e queria com o tipo de êxtase inebriante que faz com que as pessoas corram riscos que jamais correriam por mais álcool que tivessem no corpo. Eu queria gozar no calção dele, e deixar a prova lá para que ele encontrasse. Foi então que uma ideia louca tomou conta de mim. Desfiz sua cama, tirei o calção e me enrolei em seus lençóis, nu. Que ele me encontre aqui. Dou um jeito de lidar com a situação. Reconheci a sensação daquela cama. Minha cama. Mas o cheiro dele estava por todo lado, robusto e indulgente, como o cheiro estranho que de repente tomou meu corpo inteiro quando um velho que estava ao meu lado em um templo no Yom Kipur colocou seu *tallis* na minha cabeça até que eu quase desaparecesse, em união com uma nação para sempre dispersa, mas que, de tempos em tempos, se reúne novamente quando dois seres se envolvem no mesmo pedaço de pano. Coloquei seu travesseiro em meu rosto, beijei-o com brutalidade e, colocando-o entre minhas pernas, contei-lhe o que não tinha coragem de contar a mais ninguém no mundo. Então contei-lhe o que eu desejava. Levou menos de um minuto.

O segredo tinha saído do meu corpo. E daí se ele visse. E daí se ele me pegasse ali. E daí, e daí, e daí.

No caminho de volta ao meu quarto me perguntei se seria louco o suficiente de tentar fazer aquilo de novo.

Naquela noite, me peguei prestando muita atenção em onde todos da casa estavam. O desejo vergonhoso voltou antes do que eu imaginara. Não me custaria nada subir escondido.

Uma noite, enquanto lia na biblioteca do meu pai, encontrei uma história sobre um cavaleiro jovem e belo loucamente apaixonado por uma princesa. Ela também está apaixonada por ele, embora pareça não perceber totalmente, e apesar da amizade que floresce entre os dois, ou talvez por causa dessa amizade, ele fica tão envergonhado e sem palavras diante da candura intimidante da moça que se sente incapaz de falar sobre seu amor. Certo dia, ele pergunta sem rodeios:

— É melhor falar ou morrer?

Eu nunca teria coragem de fazer uma pergunta como essa.

Mas o que eu havia falado ao seu travesseiro revelava que, pelo menos por um instante, eu tinha ensaiado a verdade, revelado essa verdade ao mundo, que tinha gostado de dizer aquelas palavras e que se ele passasse no exato momento em que eu anunciava o que não ousava dizer nem a mim mesmo diante do espelho, eu não teria ligado, não teria me importado — que ele saiba, que ele veja, que ele me julgue se quiser —, só não conte para o mundo, mesmo que você seja o mundo para mim agora, mesmo que em seus olhos eu veja um mundo assustador e desdenhoso. Esse seu olhar penetrante, Oliver. Prefiro morrer a encará-lo depois de ter contado a verdade.

PARTE 2

O penhasco de Monet

No final de julho as coisas finalmente vieram à tona. Era óbvio que depois de Chiara houvera uma sucessão de *cotte*, casos, casinhos, casos de uma só noite, rolos, quem sabe. Para mim tudo se resumia a uma coisa: o pau dele tinha passado por toda B. Todas as garotas tinham tocado aquele pau. Havia entrado em só Deus sabe quantas vaginas, quantas bocas. A imagem me divertia. Nunca me incomodou pensar nele entre as pernas de uma garota, ela deitada olhando para ele, os ombros largos, bronzeados e reluzentes subindo e descendo como eu imaginara naquela tarde em que também coloquei seu travesseiro entre minhas pernas.

    O simples fato de olhar para seus ombros quando ele estava no paraíso revisando seu manuscrito me fazia imaginar por onde ele teria andado na noite anterior. Como os movimentos de seus ombros eram livres e espontâneos, como refletiam o sol tão naturalmente. Será que tinham gosto de mar para a mulher que na noite anterior se deitou sob ele e o mordeu? Ou de bronzeador? Ou do cheiro que emanou de seus lençóis quando me deitei neles?

    Eu queria muito que meus ombros fossem como os de Oliver. Assim talvez eu não os desejasse.

    Muvi star.

Eu queria ser como ele? Eu queria ser ele? Ou só queria tê-lo? Ou "ser" e "ter" são verbos imprecisos no emaranhado do desejo, em que ter o corpo do outro para tocar e ser o outro que desejamos tocar são a mesma coisa, apenas margens opostas de um rio que passa de nós a ele, volta a nós e a ele novamente, em um ciclo sem fim em que as cavidades do coração, como as armadilhas do desejo, os buracos de minhoca do tempo e as gavetas de fundo falso a que chamamos identidade compartilham uma lógica sedutora, segundo a qual a distância mais curta entre a vida real e a não vivida, entre quem nós somos e o que queremos, é uma escada em caracol projetada com a crueldade impiedosa de M. C. Escher. Quando separaram nós dois, Oliver? E por que eu sabia e você não? É o seu corpo que eu quero quando penso em me deitar ao seu lado toda noite ou o que quero é entrar nele e possuí-lo como se fosse meu, do mesmo jeito que fiz quando coloquei seu calção e tirei, o tempo todo desejando como nunca desejei mais nada, sentir você entrando em mim como se meu corpo inteiro fosse seu calção, seu lar? Você em mim, eu em você...

Então chegou o dia. Estávamos no jardim, contei a ele sobre a novela que tinha acabado de ler.

— Sobre o cavaleiro que não sabe se fala ou se morre. Você já me contou.

É claro que eu esqueci que tinha mencionado.

— Isso.

— Bom, e ele fala ou não?

— Ela diz que é melhor falar. Mas fica na defensiva. Sente que há uma armadilha.

— E ele fala?

— Não, ele desconversa.

— Era de se esperar.
Tínhamos acabado de tomar café da manhã. Nenhum dos dois queria trabalhar naquele dia.
— Olha só, preciso buscar uma coisa na cidade.
Uma coisa era sempre as últimas páginas que a tradutora tinha escrito.
— Eu vou, se quiser.
Ele ficou em silêncio por um instante.
— Não. Vamos juntos.
— Agora?
Talvez minha vontade tenha sido dizer "Sério?".
— Por quê? Tem alguma coisa melhor para fazer?
— Não.
— Então vamos.
Ele colocou algumas páginas na mochila verde muito gasta e a pendurou no ombro.
Desde as últimas idas de bicicleta a B., ele nunca mais tinha me convidado para ir a lugar nenhum com ele.
Larguei a caneta-tinteiro, fechei o caderno, coloquei um copo de limonada pela metade sobre meus papéis e fiquei pronto para sair.
A caminho do galpão, passamos pela garagem.
Como sempre, Manfredi, marido de Mafalda, estava discutindo com Anchise. Dessa vez o acusava de molhar demais os tomates, e que estava tudo errado, porque estavam crescendo rápido demais.
— Vão ficar farinhentos — reclamou.
— Escuta aqui, eu cuido dos tomates, você cuida de dirigir, e todos ficam felizes.
— Você não entende. Na minha época, a gente mudava os tomates de um lugar para outro, deste para outro, e

plantava manjericão perto deles. Mas é claro que vocês que estiveram no Exército sabem de tudo.

— Está certo. — Anchise estava ignorando Manfredi.

— É claro que estou certo. Não é de se admirar que o Exército não quis ficar com você.

— Isso mesmo. O Exército não quis ficar comigo.

Os dois nos cumprimentaram. O jardineiro entregou a bicicleta a Oliver.

— Arrumei a roda ontem, deu trabalho. Também enchi os pneus.

O motorista não poderia ter ficado mais irritado.

— De agora em diante, eu conserto as rodas, você cuida dos tomates — disse Manfredi, irritado.

Anchise deu um sorriso irônico. Oliver sorriu de volta.

Quando chegamos à alameda ladeada de ciprestes que levava à estrada principal, perguntei a Oliver:

— Ele não parece um fantasma?

— Quem?

— Anchise.

— Não, por quê? Esses dias caí voltando para a casa e me machuquei feio. Anchise insistiu em passar uma mistura caseira. Ele também consertou a bicicleta para mim.

Mantendo uma das mãos no guidão, ele levantou a camisa e mostrou um ferimento enorme do lado esquerdo do tronco.

— Continuo achando que parece um fantasma — disse, repetindo o veredito da minha tia.

— É só uma alma perdida, na verdade.

Eu teria tocado, acariciado, amado aquele ferimento.

No caminho, notei que Oliver estava curtindo o passeio. Ele não estava com a pressa habitual, não estava correndo, não subia as colinas com o ímpeto atlético de sempre.

Nem parecia com pressa para voltar a seu manuscrito, para encontrar seus amigos na praia ou, como costumava acontecer, para me abandonar. Talvez não tivesse nada melhor para fazer. Aquele era meu momento no *paraíso* e, por mais jovem que fosse, eu sabia que não ia durar e que devia ao menos aproveitá-lo pelo que significava, em vez de estragar tudo tentando consolidar nossa amizade ou levá-la por outro caminho. Nunca haverá uma amizade, pensei, isso não é nada, só um minuto de graça. *Zwischen Immer und Nie. Zwischen Immer und Nie.* Entre sempre e nunca. Celan.

Quando chegamos à *piazzetta* com vista para o mar, Oliver parou para comprar cigarros. Ele havia começado a fumar Gauloises. Eu nunca tinha experimentado Gauloises e pedi um. Ele tirou um *cerino* da caixa, fez uma concha com as mãos bem próximas ao meu rosto e acendeu o cigarro.

— Nada mau, hein?

— Nada mau mesmo.

Os cigarros seriam uma lembrança dele, daquele dia, pensei, me dando conta de que em menos de um mês ele iria embora, sem deixar rastro.

Foi provavelmente a primeira vez que me permiti contar os dias restantes de Oliver em B.

— Olha só para isso — disse ele enquanto passeávamos com as bicicletas até a beira da *piazzetta*, olhando para as colinas lá embaixo.

Ao longe tínhamos uma vista magnífica do mar com poucas faixas de espuma, que cortavam a enseada como golfinhos gigantes quebrando a rebentação. Um ônibus pequeno subia a colina com três ciclistas uniformizados logo atrás, reclamando da fumaça.

— Você sabe quem supostamente se afogou aqui perto?

— Shelley.

— E sabe o que a esposa dele, Mary, fez quando acharam o corpo?

— *Cor cordium*, o coração dos corações — respondi, me referindo ao momento em que um amigo tirou o coração de Shelley antes que as chamas tivessem engolido seu corpo inchado durante a cremação na praia.

Por que ele estava me testando?

— Tem alguma coisa que você não saiba?

Olhei para ele. Era meu momento. Eu podia aproveitar ou deixar passar, mas, de qualquer forma, sabia que jamais esqueceria. Ou podia me gabar do elogio — mas passar a vida arrependido de todo o restante. Aquela foi provavelmente a primeira vez que conversei com um adulto sem planejar o que ia dizer. Estava muito nervoso para planejar alguma coisa.

— Não sei de nada, Oliver. Nada, nada mesmo.

— Você sabe mais do que qualquer um aqui.

Por que ele estava respondendo ao meu tom quase trágico com adulação simplória?

— Se você ao menos soubesse quão pouco sei sobre as coisas que realmente importam.

Eu estava me mantendo a salvo, tentando não me afogar nem nadar até a margem, apenas me mantendo no lugar, porque ali estava a verdade... ainda que eu não conseguisse dizê-la, ou mesmo apontar para ela, podia jurar que estava à nossa volta, como um colar que perdemos na água: sei que está por aqui. Se ele soubesse, se ao menos soubesse que eu estava dando todas as oportunidades para que ele somasse dois e dois e chegasse a um número maior que o infinito.

Mas, se ele entendeu, deve ter suspeitado, e, se tivesse suspeitado, chegaria lá sozinho, estaria do outro lado da ala-

meda lançando na minha direção aquele olhar penetrante, hostil, vitrificado, incisivo e onisciente.
  Ele devia ter alguma ideia, mas só Deus sabia qual era. Talvez estivesse tentando não parecer surpreso.
  — Que coisas importam?
  Ele estava se fazendo de desentendido?
  — Você sabe que coisas. A essa altura, *você* deve saber.
  Silêncio.
  — Por que você está me contando tudo isso?
  — Porque achei que você devia saber.
  — Porque achou que eu devia saber. — Ele repetiu cada uma das minhas palavras, pensativo, tentando absorver o significado delas enquanto as decifrava e ganhava tempo ao repeti-las.
  Eu sabia que aquela seria minha única oportunidade.
  — Porque eu quero que *você* saiba — deixei escapar. — Porque não posso dizer isso a mais ninguém.
  Pronto, eu tinha falado.
  Aquilo fazia algum sentido?
  Eu estava prestes a interromper e desviar a conversa com algum comentário sobre o mar e o clima no dia seguinte, e se seria uma boa ideia velejar até E. como meu pai sempre prometia naquela época do ano.
  Mas ele não aliviou.
  — Você sabe o que está dizendo?
  Dessa vez eu olhei para o mar e, em um tom vago e cansado que era meu último desvio, meu último disfarce, minha última fuga, disse:
  — Sim, eu sei o que estou dizendo e você está entendendo *tudo*. Não sou muito bom de conversa. Mas você não precisa nunca mais falar comigo.

— Espere. Você está dizendo o que eu acho que está dizendo?
— Siiim.
Agora que eu tinha revelado tudo podia relaxar e reunir o fôlego que permite a um criminoso que se entregou à polícia confessar mais uma vez para mais um policial que foi ele quem roubou a loja.
— Me espere aqui. Preciso subir e pegar uns papéis. Não vá embora.
Olhei para ele com um sorriso confiante.
— Você sabe muito bem que não vou a lugar nenhum.
Se isso não é mais uma confissão, o que seria?, pensei.
Enquanto esperava, peguei as duas bicicletas e fui até o memorial dedicado aos jovens da cidade que morreram na Batalha do Piave durante a Primeira Guerra Mundial. Toda cidadezinha da Itália tinha um memorial como aquele. Dois ônibus pequenos haviam acabado de parar ali perto, e os passageiros estavam descendo — mulheres mais velhas que vinham dos vilarejos próximos para fazer compras. Em volta da pequena praça, idosos, quase todos homens, estavam sentados em cadeiras frágeis de palha ou nos bancos, usando ternos velhos e desbotados. Fiquei imaginando quantas pessoas ali ainda se lembravam dos jovens que haviam perdido no rio Piave. Era preciso estar com no mínimo oitenta anos para tê-los conhecido. E pelo menos cem, se não mais, para que fossem mais velhos que eles à época. Aos cem anos, com certeza já aprendemos a superar a perda e o sofrimento — ou será que eles nos perseguem até o amargo fim? Aos cem anos, irmãos esquecem, filhos esquecem, entes queridos esquecem, ninguém se lembra de nada, até os mais desolados se esquecem de lembrar. Mães e pais já terão morrido há tempos. Alguém se lembrará?

Um pensamento me ocorreu: Meus descendentes saberiam o que foi falado nesta *piazzetta* hoje? Alguém saberia? Ou as palavras se dissolveriam no ar, como parte de mim desejava que acontecesse? Saberiam que o destino estava prestes a mudar neste dia nesta *piazzetta*? A ideia me agradou e ofereceu a distância necessária para encarar o restante do dia.

Em trinta, quarenta anos, voltarei aqui e pensarei na conversa que sabia que nunca esqueceria, por mais que talvez um dia quisesse. Voltaria com minha esposa, meus filhos, mostraria a eles a vista, apontaria para a enseada, os *caffès*, o Le Danzing, o Grand Hotel. Então viria até aqui e pediria à estátua, às cadeiras de palha e às mesas bambas de madeira que me fizessem lembrar de alguém chamado Oliver.

Quando voltou, a primeira coisa que ele disse foi:

— A idiota da Milani misturou as páginas e vai ter que datilografar tudo de novo. Então não tenho no que trabalhar hoje à tarde, e isso vai me atrasar um dia inteiro.

Era a vez dele de arranjar desculpas para se esquivar do assunto. Eu deixaria passar tranquilamente se ele quisesse. Poderíamos falar sobre o mar, o Piave, ou Heráclito: "Procurei-me a mim mesmo." Ou: "A harmonia oculta é superior à aparente." Ou: "A natureza ama esconder-se." E ainda tinha a viagem a E. sobre a qual falávamos havia dias. E também o conjunto de música de câmara que chegaria a qualquer momento.

No caminho, passamos por uma loja onde minha mãe costumava encomendar flores. Quando criança, eu gostava de assistir à vitrine imensa ser inundada por uma cortina de água que descia com delicadeza, dando à loja uma aura misteriosa e encantada que me fazia lembrar dos filmes nos

quais a imagem saía de foco para anunciar um flashback prestes a acontecer.
— Eu queria não ter dito nada — falei, por fim.
Logo que falei soube que tinha quebrado o frágil feitiço que havia entre nós.
— Vou fingir que você não disse — continuou ele.
Bom, aquela era uma atitude que eu jamais esperaria de um homem que parecia tão à vontade com o mundo. Nunca tinha ouvido uma frase como aquela na nossa casa.
— Isso quer dizer que voltamos a conversar... mas não de verdade?
Ele pensou um pouco.
— Olha só, não podemos falar sobre essas coisas. Não podemos mesmo.
Ele mudou a mochila de ombro e começamos a descer a colina.
Quinze minutos antes eu estava em completa agonia, cada terminação nervosa, cada emoção despedaçada, pisoteada, golpeada como no pilão de Mafalda, todas pulverizadas até que não desse mais para diferenciar medo de raiva, de desejo puro e simples. Mas, naquele momento, havia algo no horizonte. Agora que tínhamos colocado as cartas na mesa, o segredo e a vergonha haviam desaparecido, mas com eles também havia sumido qualquer traço de esperança tácita que vinha mantendo tudo aquilo vivo nas últimas semanas.
Apenas o cenário e o tempo podiam balizar meu humor agora. Assim como o passeio juntos na estrada vazia, que era só nossa naquela hora do dia e onde o sol começava a bater, destacando remendos pelo caminho. Eu disse a ele para me seguir, que mostraria um lugar que a maioria dos turistas nunca viu.

— Se você tiver tempo — completei, sem querer ser insistente desta vez.

— Eu tenho tempo.

Havia um tom descompromissado em sua voz, como se ele tivesse achado graça do cuidado excessivo das minhas palavras. Mas talvez fosse apenas uma pequena concessão para compensar o fato de não discutirmos o assunto em questão.

Saímos da estrada principal e fomos em direção à beira do penhasco.

— Aqui — disse, como se fosse um prefácio para manter o interesse dele vivo — é onde Monet costumava pintar.

Palmeiras minúsculas e atrofiadas e oliveiras nodosas decoravam o pequeno bosque. Depois das árvores, em um aclive que levava até a beira do penhasco, ficava o cimo parcialmente sombreado por altos pinheiros-bravos. Encostei a bicicleta em uma das árvores, ele fez o mesmo, e então mostrei o caminho até o penhasco.

— Olhe isso — falei, extremamente satisfeito, como se revelasse algo mais eloquente do que qualquer coisa que pudesse dizer a meu favor.

Havia uma enseada silenciosa lá embaixo. Nem sinal de civilização por perto, nenhuma casa, nenhum píer, nenhum barco. A distância, como sempre, dava para ver o campanário de São Tiago e, se estreitássemos os olhos, o contorno de N. e, mais além, algo que parecia nossa casa e as *villas* próximas, da família de Vimini, dos Moreschi, cujas duas filhas provavelmente já tinham dormido com Oliver, separadas ou juntas, quem poderia saber, quem ligava àquela altura.

— É meu lugar preferido. Todo meu. Venho aqui para ler. Nem sei dizer quantos livros já li aqui.

— Você gosta de ficar sozinho? — perguntou ele.

— Não. Ninguém gosta de ficar sozinho. Mas aprendi a conviver com a solidão.

— Você é sempre sábio assim?

Estava prestes a adotar um tom professoral, paternalista e a se juntar a todos os outros que achavam que eu precisava sair mais, fazer mais amigos e, tendo mais amigos, não ser tão egoísta com eles? Ou seria uma introdução a seu papel de psicólogo e amigo da família? Ou mais uma vez eu estava me precipitando quanto a sua atitude?

— Não sou nem um pouco sábio. Já disse, não sei de nada. Conheço livros, e sei como concatenar palavras... isso não quer dizer que eu saiba falar sobre as coisas que mais importam para mim.

— Mas você está fazendo isso agora... de certa forma.

— Sim, de certa forma... é assim que sempre digo as coisas: de certa forma.

Com o olhar distante para não encará-lo, sentei na grama e percebi que ele estava agachado a alguns metros de mim, como se a qualquer momento fosse se levantar e voltar para onde tínhamos deixado as bicicletas.

Nunca imaginei que o tinha trazido até ali não só para mostrar meu mundo a ele, mas para pedir ao meu mundo que o deixasse entrar, para que o lugar onde eu vinha para ficar sozinho nas tardes de verão o conhecesse, o julgasse, para ver se ele se encaixava, para que o lugar o absorvesse, para que então eu pudesse voltar a ele e lembrar. Aqui eu viria para fugir do mundo conhecido e encontrar outro que eu mesmo tinha inventado; estava apresentando Oliver à minha plataforma de lançamento. Eu só precisava listar as obras que tinha lido ali e ele saberia todos os lugares para os quais eu tinha viajado.

— Eu gosto da forma como você diz as coisas. Por que você sempre se diminui?

Dei de ombros. Oliver estava me criticando por eu me criticar?

— Não sei. Para que você não faça isso, talvez.

— Você tem medo do que os outros pensam?

Balancei a cabeça. Mas não respondi. Ou talvez a resposta fosse tão óbvia que eu não precisava responder. Eram momentos como esse que faziam eu me sentir tão vulnerável, tão exposto. Você me provoca, me deixa nervoso e, se eu não revidar, você já me expôs. Não, eu não tinha o que dizer em resposta. Mas também não saí do lugar. Meu impulso era deixar que ele voltasse para casa sozinho. Eu chegaria a tempo para o almoço.

Oliver esperava que eu dissesse alguma coisa. Estava me encarando.

Aquela, acho, foi a primeira vez que ousei encará-lo de volta. Eu costumava lançar um olhar e desviá-lo... desviava o olhar porque não queria nadar na bela e límpida lagoa de seus olhos a não ser que fosse convidado... e nunca tinha esperado tempo suficiente para saber se era bem-vindo ali; desviava o olhar porque tinha medo demais para encarar qualquer pessoa de volta; desviava o olhar porque não queria revelar nada; desviava o olhar porque não podia reconhecer como ele era importante para mim. Desviava porque aquele olhar penetrante sempre me fazia pensar em como ele era superior e no quanto eu estava abaixo dele. Ali, no silêncio do momento, encarei-o de volta, não para desafiá-lo ou para mostrar que não tinha mais timidez, mas para me render, para dizer a ele que esse sou eu, esse é você, isso é o que eu quero, não há nada além da verdade entre nós agora,

e onde há verdade não há barreiras, não há olhares desviados e, se nada acontecer, que jamais seja porque algum de nós não estava ciente das possibilidades. Eu não tinha qualquer esperança. E talvez o tenha encarado de volta porque não havia nada a perder. Encarei-o de volta com um olhar consciente de desafio-você-a-me-beijar, alguém que desafia e foge com o mesmo e único gesto.
— Você está dificultando muito as coisas para mim.
Será que ele estava se referindo aos nossos olhares?
Não recuei. Nem ele. Sim, ele estava se referindo aos nossos olhares.
— Por que estou dificultando as coisas?
Meu coração começou a bater tão rápido que eu mal conseguia manter um discurso coerente. Nem sentia vergonha de mostrar o quanto estava corado. Deixe que ele saiba, deixe.
— Por que seria muito errado.
— *Seria?*
Então existia um fio de esperança?
Ele se sentou na grama, então deitou de costas, com os braços embaixo da cabeça, olhando para o céu.
— Sim, *seria*. Não vou fingir que não passou pela minha cabeça.
— Eu seria o último a saber.
— Bem, passou. Pronto! O que você achou que estava acontecendo?
— Acontecendo? — balbuciei uma pergunta. — Nada. — Pensei um pouco mais. — Nada — repeti, como se o que eu estava começando a entender fosse tão amorfo que poderia facilmente ser desconsiderado pelo "nada" que eu repetia, preenchendo os momentos insuportáveis do silêncio. — Nada.

— Entendi — respondeu Oliver. — Você entendeu errado, meu amigo... — Havia certo tom de censura condescendente em sua voz. — Se vale de alguma coisa, eu tenho que me segurar. Está na hora de você aprender também.
— O melhor que posso fazer é fingir que não ligo.
— Isso já está claro há um bom tempo — rebateu ele.
Fiquei arrasado. Todas aquelas vezes que pensei que o estava insultando ao deixar claro o quanto era fácil ignorá-lo no jardim, na sacada, na praia, ele nunca se deixou enganar e viu claramente minha jogada irritadiça e óbvia.
Aquela confissão, que parecia abrir todas as comportas que existiam entre nós, foi exatamente o que afogou todas as minhas esperanças. Para onde ir agora? O que mais havia para dizer? E o que aconteceria da próxima vez que fingíssemos não conversar, mas não tivéssemos mais certeza de que a frieza entre nós era falsa?
Falamos um pouco mais, até que a conversa acabou. Agora que tínhamos colocado as cartas na mesa, era hora de jogar conversa fora.
— Então Monet vinha aqui pintar?
— Vou mostrar para você lá em casa. Temos um livro com reproduções incríveis dessa área.
— Sim, você tem que me mostrar.
Ele estava fazendo o papel de paternalista. Eu odiava.
Apoiados em um braço só, ficamos admirando a vista.
— Você é o garoto mais sortudo do mundo — disse ele.
— Você não sabe nem a metade.
Deixei que ele refletisse sobre minha declaração. Então, talvez para preencher o silêncio que estava ficando insuportável, soltei:
— Mas tem tanta coisa errada aqui...

— O quê? Sua família?
— Isso também.
— Passar o verão todo aqui, lendo sozinho, participando das labutas prandiais que seu pai propõe em todas as refeições?
Ele estava tirando sarro de mim de novo.
Sorri. Não, também não era isso.
Ele parou por um instante.
— Você está falando de nós.
Não respondi.
— Vejamos, então...
E antes que eu percebesse, ele veio na minha direção. Estávamos perto demais, pensei, nunca estive tão perto dele a não ser em um sonho ou quando ele colocou as mãos em concha para acender meu cigarro. Se aproximasse um pouco mais o ouvido, poderia ouvir meu coração. Eu tinha lido aquilo em romances, mas nunca acreditei até aquele momento. Ele ficou olhando diretamente para mim, como se gostasse do meu rosto e quisesse estudá-lo, gravá-lo, então tocou meu lábio inferior com o dedo e o percorreu da esquerda para a direita e da direita para a esquerda várias vezes enquanto eu estava ali deitado, vendo-o sorrir de um jeito que me fazia temer qualquer coisa que pudesse acontecer porque não teria volta, aquele era seu jeito de pedir, e aquela era minha chance de dizer não ou de dizer algo e ganhar tempo para discutir mais a questão comigo mesmo, agora que havíamos chegado a esse ponto... mas eu não tinha mais tempo, porque ele aproximou os lábios dos meus, em um beijo terno, conciliatório, encontro-você-no-meio-do-caminho-
-mas-não-além, até perceber o quanto os meus estavam famintos. Gostaria de saber calibrar meu beijo como ele. Mas

a paixão nos permite esconder mais e, naquele momento no penhasco de Monet, se queria esconder alguma coisa sobre mim naquele beijo, eu também estava desesperado para me perder nele, como quando desejamos que o chão se abra sob nossos pés e nos engula.
— Melhor agora? — perguntou ele.
Não respondi, mas levantei o rosto e o beijei mais uma vez, um beijo quase selvagem, não porque eu estivesse cheio de paixão ou porque não tivesse encontrado no primeiro o fervor que procurava, mas porque não tinha certeza de que nosso beijo tivesse me convencido de qualquer coisa sobre mim. Nem tinha certeza de que havia gostado tanto quanto esperava gostar, e precisava testar de novo. Mesmo no ato em si, ao que parece, eu preciso testar o teste. Em minha mente surgiam os pensamentos mais mundanos. *Tanta negação?*, teria comentado um discípulo menor de Freud. Tentei sanar minha dúvida com mais um beijo violento. Eu não queria paixão. Não queria prazer. Talvez nem mesmo quisesse provas. E não queria palavras, conversas bobas, conversas importantes, conversas sobre bicicletas, sobre livros, nada disso. Só o sol, a grama, a brisa do mar e o cheiro do seu corpo emanando de seu peito, seu pescoço, suas axilas. Apenas me pegue e me molde, me vire do avesso, até que, como um personagem de Ovídio, eu e sua luxúria sejamos um só, era isso que eu queria. Coloque em mim uma venda, segure minha mão e não me peça para pensar — você pode fazer isso por mim?
Eu não sabia aonde tudo aquilo levaria, mas estava me entregando a ele, centímetro a centímetro, e Oliver devia saber, porque senti que ele ainda mantinha certa distância entre nós. Embora nossos rostos se tocassem, os corpos

estavam distantes. Eu sabia que qualquer coisa que fizesse agora, qualquer movimento poderia desfazer a harmonia do momento. Então, imaginando que provavelmente não haveria outro beijo, comecei a testar a eventual separação de nossas bocas e descobri, ao fazer menção de terminar o beijo, o quanto não queria parar, o quanto queria a língua dele na minha boca e a minha na dele — porque, após todas aquelas semanas e todas as discussões e todos os conflitos que sempre me causavam arrepio, tudo o que havíamos nos tornado eram duas línguas movendo-se na boca um do outro. Apenas duas línguas, o restante era conversa. Quando, finalmente, levantei um joelho e me mexi para virar de frente para ele, soube que tinha quebrado o feitiço.

— É melhor a gente ir.
— Ainda não.
— Não podemos fazer isso... eu me conheço. Até agora nós nos comportamos. Ninguém fez nada de que possa se envergonhar. Vamos manter as coisas assim. Quero me comportar.
— Não se comporte. Eu não ligo. Quem vai saber?

Em um movimento desesperado do qual eu sabia que jamais esqueceria se ele não cedesse, me aproximei e deixei que minha mão pousasse em sua genitália. Ele não se mexeu. Eu devia deslizar a mão para dentro do calção, pensei. Ele deve ter lido meus pensamentos pois, com total compostura, em um gesto ao mesmo tempo muito gentil e também glacial, levou a mão até lá e a deixou pousada sobre a minha por um segundo, e então, entrelaçando os dedos nos meus, ergueu a minha mão.

Um momento de silêncio insuportável se instalou entre nós.

— Eu ofendi você?
— Não faça isso.
Aquilo soou um pouco como o *Até depois!* na primeira vez que ouvi, semanas antes — mordaz, direto e monótono, sem sinal da alegria ou da paixão que tínhamos acabado de compartilhar. Oliver me deu a mão e me ajudou a levantar.
Ele se contorceu de repente.
Lembrei do machucado na lateral do tronco.
— Preciso cuidar disso para que não infeccione — disse ele.
— Vamos parar na farmácia no caminho.
Ele não respondeu. Mas era a coisa mais sensata que poderíamos ter dito. Permitia que o mundo real se intrometesse em nossas vidas — Anchise, a bicicleta remendada, a briga por causa dos tomates, a partitura deixada de qualquer jeito sob o copo de limonada, tudo aquilo parecia tão *distante*.
Enquanto nos distanciávamos do meu lugar preferido, vimos duas vans de turistas indo em direção a N. Devia ser quase meio-dia.
— Nunca mais vamos conversar — falei enquanto descíamos a ladeira infinita, o vento em nossos cabelos.
— Não diga isso.
— Eu tenho certeza. Vamos falar do dia, do sol, do vento. Só isso. E o engraçado é que eu acho que aguento.
— Rimou — disse ele.
Eu amava aquela irreverência.
Duas horas depois, durante o almoço, tive todas as provas necessárias de que não aguentaria.
Antes da sobremesa, enquanto Mafalda tirava os pratos e todos estavam envolvidos em uma conversa sobre Jacopone da Todi, senti um pé casualmente roçar o meu.

Pensei que, no penhasco, eu devia ter aproveitado a chance de sentir se a pele do pé de Oliver era tão macia quanto eu imaginava. Agora aquilo era o máximo que eu conseguiria.

Talvez tenha sido o meu pé que tocou o dele. Que recuou, não no mesmo instante, mas rápido o suficiente, como se tivesse esperado conscientemente o intervalo de tempo apropriado para não dar a impressão de ter recuado em pânico. Também esperei mais alguns segundos e, sem planejar meus movimentos, permiti que meu pé procurasse pelo outro. Mal tinha começado a busca quando meu dedão de repente atingiu o pé dele; Oliver quase não tinha se afastado, como um navio pirata que dá todos os sinais de ter fugido para longe, mas na verdade está se escondendo na névoa a não mais do que cinquenta metros, esperando para atacar assim que tiver chance. Mal tive tempo de fazer algo com o pé e, sem aviso, sem me dar um tempo para que eu fosse até ele ou deixasse meu pé descansar a uma distância segura, de súbito, suave e gentilmente, o pé dele veio até o meu e começou a acariciá-lo, massageá-lo, sem parar um segundo, o calcanhar redondo e macio imobilizando meu pé, às vezes o pressionando, mas aliviando o peso em seguida com mais carinho dos dedos, o que indicava, o tempo todo, que aquilo era mera diversão, porque era o modo que ele tinha encontrado de desafiar todas as pessoas à mesa, mas ao mesmo tempo de deixar claro que não tinha nada a ver com os outros e que ficaria só entre nós, porque só dizia respeito a nós dois, mas eu não devia levar a sério demais. O sigilo e a teimosia de suas carícias fizeram meu corpo se arrepiar. Fui tomado por uma vertigem súbita. Não, eu não ia chorar, não se tratava de um ataque de pânico, era um "desfalecimento", e eu também não ia gozar no meu calção, embora estivesse gostando muito, muito, principalmente quando o arco do pé dele se encaixou sobre o meu. Quando olhei para o meu prato de sobremesa e vi o bolo de chocolate coberto com calda de framboesa, parecia que alguém estava derramando mais calda do que o normal, e que a calda vinha do teto, até que de repente percebi que estava vindo do meu nariz. Respirei fundo, amassei o guardanapo e o levei até o nariz, jogando a cabeça para trás o máximo que podia.

— *Ghiaccio,* gelo, Mafalda, *per favore, presto* — eu disse calmamente, para demonstrar que estava no controle da situação. — Fui até o penhasco hoje de manhã. Isso sempre acontece — continuei, me desculpando com os convidados.

Ouvi uma confusão de sons apressados conforme as pessoas entravam e saíam da sala de jantar. Eu tinha fechado os olhos. Controle-se, dizia a mim mesmo, controle-se. Não deixe que seu corpo revele tudo.

— A culpa foi minha? — perguntou ele ao entrar no meu quarto depois do almoço.

Não respondi.

— Sou todo errado, não sou?

Ele sorriu e não disse nada.

— Sente um pouco.

Ele sentou na ponta da cama. Tinha ido visitar um amigo hospitalizado que se feriu em um acidente enquanto caçava.

— Você vai ficar bem?

— Eu achei que estivesse. Vou superar.

Eu ouvira muitos personagens dizerem a mesma coisa em muitos romances. Libertava o amado fugidio das amarras. Permitia que todos se redimissem. Restaurava a dignidade e a coragem daquele cujo disfarce havia sido totalmente revelado.

— Vou deixar você dormir — disse ele, como se fosse uma enfermeira cuidadosa.

Enquanto saía, acrescentou:

— Vou ficar por aqui — disse, talvez do modo como as pessoas falam "vou deixar a luz acesa para você". — Comporte-se.

Enquanto eu tentava cochilar, vinha à minha mente o incidente na *piazzetta* — perdido entre o memorial da Batalha do Piave, o passeio até o penhasco, o medo e a vergonha e sabe-se lá mais o quê me pressionando —, e parecia ser de verões e eras passadas, como se eu tivesse pedalado até a *piazzetta* quando era um garotinho antes da Primeira Guerra Mundial e retornado de lá como um soldado de noventa anos, aleijado e confinado a um quarto que nem era meu, porque o meu havia sido emprestado a um jovem que era a luz dos meus olhos.

A luz dos meus olhos, eu disse, luz dos meus olhos, luz do mundo, é isso que você é, luz da minha vida. Eu não sabia o que luz dos meus olhos queria dizer, e parte de mim se perguntava de onde eu tinha tirado aquilo, mas eram coisas bobas como essa que traziam lágrimas aos meus olhos, lágrimas que eu queria afogar em seu travesseiro, em seu calção, lágrimas que eu queria que ele tocasse com a ponta da língua, para afastar minha tristeza.

Eu não entendia por que ele tinha colocado o pé no meu. Seria uma jogada ou um gesto bem-intencionado de solidariedade e camaradagem, como aquele abraço-massagem, uma cutucada leve entre amantes que não dormem mais juntos, mas que decidiram permanecer amigos e às vezes vão ao cinema? Queria dizer Eu não esqueci, isso sempre ficará entre nós, mesmo que não dê em nada?

Eu queria fugir de casa. Queria que já fosse o próximo outono e eu estivesse o mais longe possível dali. Queria deixar a cidade com seu Le Danzing idiota e sua juventude idiota com quem ninguém sequer gostaria de fazer amizade. Deixar meus pais, meus primos e meu sobrinho que sempre competiam comigo e aqueles hóspedes horrorosos de verão com seus projetos acadêmicos obscuros que sempre monopolizavam todos os banheiros do meu lado da casa.

O que aconteceria se eu o visse novamente? Eu sangraria, choraria, gozaria no calção? E se o visse com outra pessoa, como costumava andar à noite perto do Le Danzing? E se, em vez de uma mulher, fosse um homem?

Eu devia aprender a evitá-lo, cortar cada laço, um a um, como neurocirurgiões quando separam um neurônio do outro, um desejo atormentado do outro, parar de voltar ao jardim, parar de espiá-lo, parar de ir à cidade à noite, me desligar um pouco a cada dia, como um viciado, um dia, uma hora, um minuto, um segundo melado após o outro. Era possível. Eu sabia que não havia futuro naquilo. Supondo que ele viesse ao meu quarto hoje à noite. Melhor ainda, supondo que eu bebesse demais e fosse ao quarto dele e dissesse a verdade nua e crua em sua cara, Oliver: quero que você me possua, Oliver. Alguém precisa fazer isso, e pode muito bem ser você. Correção: Eu quero que seja você. Vou tentar não ser a pior transa da sua vida. Faça comigo exatamente o que faria com alguém que espera não ver mais. Sei que não soa nada romântico, mas estou preso a tantos nós que preciso de um tratamento górdio. Acabe logo com isso.

Transaríamos. Então eu voltaria ao meu quarto para me limpar. Depois disso, eu é que colocaria o pé sobre o dele de vez em quando, para ver se ele ia gostar.

Esse era meu plano. Era como eu planejava me livrar daquele vício. Esperaria que todos fossem dormir. Que a luz do quarto dele se apagasse. Entraria em seus aposentos pela sacada.

Toc, toc. Não, sem bater à porta. Eu tinha certeza de que ele dormia nu. E se ele não estivesse sozinho? Eu ficaria ouvindo da sacada antes de entrar. Se houvesse alguém com ele e fosse tarde demais para não ser percebido, bateria em retirada, dizendo: "Ops, quarto errado." Sim: Ops, quarto errado. Um toque de leveza para livrar minha cara. E se ele estivesse sozinho? Eu entraria. De pijama. Não, só com o short do pijama. Sou eu, diria. O que está fazendo aqui? Não consigo dormir. Quer que eu pegue uma bebida? Não é de bebida que eu preciso. Finalmente cheguei ao ponto de ter coragem de vir do meu quarto até o seu. Foi por sua causa que eu vim. Agora eu sei. Não dificulte as coisas, não fale, não me dê motivos e não aja como se fosse gritar pedindo ajuda a qualquer momento. Sou muito mais novo, e você pareceria um bobo se fizesse soar o alarme da casa e ameaçasse contar à minha mãe. E na mesma hora eu tiraria o short do pijama e deitaria em sua cama. Se ele não me tocasse, então eu o tocaria, se ele não reagisse, então eu deixaria que minha boca fosse a lugares onde nunca esteve antes. Aquelas meras palavras já me divertiam. Melação intergaláctica. Minha estrela de davi, sua estrela de davi, nossos pescoços como um só, dois judeus circuncidados unidos desde tempos imemoriais. Se nada disso funcionasse, eu avançaria sobre *ele*, que resistiria, lutaríamos, e eu faria de tudo para excitá-lo quando ele me prendesse, envolveria seu corpo com minhas pernas como uma mulher, mesmo machucando o quadril que ele feriu na queda da bicicleta, e se tudo isso não funcionasse cometeria a indignidade derradeira, e com essa indignidade mostraria que a vergonha é toda dele, não minha, que eu vim trazendo a verdade e a gentileza humana em meu coração e que as estava deixando em seus lençóis para lembrá-lo de como tinha dito não a um jovem que implorava pela comunhão. Negar uma coisa dessas devia garantir passagem direta para o inferno.

E se ele não gostasse de mim? Dizem que à noite todos os gatos... E se ele não gostar de nada disso? Vai ter que experimentar, então. E se ele ficar muito transtornado e ofendido? "Saia daqui seu merdinha infeliz." O beijo era prova suficiente de que poderia acontecer. E o que dizer do pé? *Amor ch'a null'amato amar perdona.*

O pé. A última vez que alguém causou uma reação como aquela em mim não foi quando ele me beijou, mas quando pressionou meu ombro com o dedo.

Não, houve mais uma vez. Enquanto eu dormia, quando ele entrou no meu quarto e deitou em cima de mim, e eu fingi estar dormindo. Mais uma correção: enquanto dormia suspirei muito levemente, só o bastante para dizer não vá, pode continuar, só não diga Eu sabia.

Quando acordei naquela tarde, senti um desejo intenso por iogurte. Memórias da infância. Fui até a cozinha e encontrei Mafalda guardando preguiçosamente a louça que fora lavada horas antes. Ela também devia ter cochilado e acabado de acordar. Vi um pêssego grande na fruteira e comecei a descascá-lo.

— *Faccio io* — disse ela, tentando tirar a faca da minha mão.

— *No, no, faccio da me* — respondi, tentando não ofendê-la.

Eu queria abri-lo ao meio e cortar os pedaços em pedaços menores, e então esses pedaços em ainda menores. Até virarem átomos. Terapia. Então peguei uma banana, descasquei devagar e comecei a cortar fatias finíssimas, que depois piquei. Então um damasco. Uma pera. Tâmaras. Então peguei a embalagem grande de iogurte na geladeira e despejei o conteúdo e as frutas picadas no liquidificador. Finalmente, para obter um pouco mais de cor, alguns morangos frescos colhidos do jardim. Eu amava o ronronar do liquidificador.

Não era uma sobremesa com que Mafalda estivesse familiarizada, mas ainda assim permitiria que eu fizesse as coisas do meu jeito na sua cozinha, sem interferir, como se cedesse a alguém que já havia se magoado demais. A desgraçada sabia. Ela deve ter visto o pé. Seus olhos me seguiam a cada passo como se estivessem prontos para arrancar a faca da minha mão antes que eu cortasse os pulsos.

Depois de bater minha mistura, despejei-a em um copo grande, joguei um canudo como se fosse um dardo e fui para o pátio. No caminho, entrei na sala e peguei o livro com as reproduções de Monet. Coloquei-o em um banquinho perto da escada. Eu não ia mostrar o livro para ele. Ia apenas deixar ali. Ele saberia.

No pátio, vi minha mãe bebendo chá com duas irmãs que tinham vindo de S. jogar cartas. A quarta jogadora chegaria a qualquer momento.

Nos fundos, vindo da garagem, eu ouvia o motorista discutir sobre jogadores de futebol com Manfredi.

Segurando minha bebida, fui até o limite do pátio, peguei uma espreguiçadeira e, de frente para a cerca, tentei aproveitar a última meia hora de pleno sol. Gostava de ficar sentado assistindo ao dia se espalhar na luz pré-crepuscular.

O fim da tarde era bom para um último mergulho, mas também para ler.

Eu gostava de me sentir tão descansado. Talvez os antigos estivessem certos: não faz mal sangrar de vez em quando. Se eu continuasse me sentindo assim, depois talvez tentasse tocar um ou dois prelúdios e fugas, talvez uma fantasia de Brahms. Tomei mais um pouco de iogurte e coloquei a perna na cadeira ao lado da minha.

Demorei um tempo para perceber que estava forçando uma postura.

Eu queria que ele voltasse e me encontrasse super-relaxado. Mal sabia o que eu estava planejando para aquela noite.

— O Oliver está por aí? — perguntei, virando para minha mãe.

— Ele não saiu?

Não respondi nada. "Vou ficar por aqui", aham.

Depois de um tempo, Mafalda veio buscar o copo vazio. *Vuoi un altro di questi*, eu queria mais um *desses*?, pareceu perguntar, como se estivesse se referindo a uma mistura estranha cujo nome estrangeiro, não italiano, se é que havia um, ela não estava interessada em saber.

— Não, acho que vou sair.

— Mas para onde a uma hora dessa? — perguntou ela, referindo-se ao jantar. — Principalmente depois do que aconteceu no almoço. *Mi preoccupo*, fico preocupada.

— Vou ficar bem.

— Eu não aconselho.

— Não se preocupe.

— Signora — gritou ela, tentando angariar o apoio da minha mãe.

Ela concordou que era uma má ideia.

— Então vou nadar.

Qualquer coisa que não fosse ficar contando as horas até a noite.

No meio da escada a caminho da praia, encontrei um grupo de amigos. Estavam jogando vôlei na areia. Se eu queria me juntar a eles? Não, obrigado, andei me sentindo meio mal. Deixei-os e andei em direção à grande pedra, olhei para ela por um tempo e depois para o mar, que parecia lançar um raio de luz solar bem na minha direção, como uma pintura de Monet. Entrei na água quente. Eu não estava infeliz. Queria estar com alguém. Mas não me incomodava estar sozinho.

Vimini, que devia ter vindo com um dos outros, disse que tinha ouvido que eu não estava bem.

— Nós, doentes... — começou.

— Você sabe onde o Oliver está? — perguntei.

— Não sei. Achei que ele tinha ido pescar com Anchise.

— Com Anchise? Ele é louco! Quase morreu na última vez.

Nenhuma resposta. Ela desviava o olhar do sol se pondo.

— Você gosta dele, não gosta?

— Sim — respondi.

— Ele também gosta de você... mais do que você dele, eu acho.

Era essa a impressão que ela tinha?

Não, era do Oliver.

Quando ele tinha dito aquilo?

Havia um tempo.

Correspondia à época em que quase não estávamos nos falando. Até minha mãe me chamou para conversar e sugeriu que eu fosse mais educado com nosso *kaiboy* — eu andava entrando e saindo sem nem cumprimentar, indelicado.

— Acho que ele está certo — disse Vimini.

Dei de ombros. Nunca havia encontrado contradições tão poderosas. Era uma agonia, algo que parecia raiva estava surgindo dentro de mim. Tentei acalmar a mente e pensar no pôr do sol diante de nós, como as pessoas que estão prestes a passar por um polígrafo gostam de visualizar uma paisagem serena e plácida para disfarçar sua agitação. Mas também estava me obrigando a pensar em outras coisas porque não queria tocar ou mesmo gastar qualquer pensamento que tivesse a ver com aquela noite. Pode ser que ele diga não, pode ser até mesmo que decida ir embora da nossa casa e, se pressionado, explicar por quê. Eu só permitia que minha imaginação fosse até esse ponto.

Um pensamento terrível me ocorreu. E se, neste momento, entre alguns dos amigos que tinha feito na cidade, ou entre as pessoas que insistiam em convidá-lo para jantar, ele deixasse escapar, ou simplesmente sugerisse o que tinha acontecido durante nosso passeio de bicicleta? No lugar dele, será que *eu* seria capaz de manter segredo? Não.

Ainda assim, ele tinha sinalizado que aquilo que eu queria podia ser dado e tirado com muita naturalidade, de modo que era possível se perguntar por que seriam necessárias tanta tormenta e vergonha, uma vez que não era algo mais complicado do que, digamos, comprar um maço de cigarros, passar o baseado, ou parar tarde da noite diante de alguma das garotas atrás da *piazzetta* e, depois de combinar um preço, subir por alguns minutos.

Quando voltei depois de nadar, ainda não havia nem sinal dele. Perguntei por Oliver. Não, ele não tinha voltado. A bicicleta estava no mesmo lugar onde a tínhamos deixado antes do meio-dia. E Anchise estava de volta fazia horas. Fui até o meu quarto e, pela varanda, tentei entrar no quarto dele. As portas estavam fechadas. Tudo o que vi pelo vidro foi o calção que ele tinha usado no almoço.

Tentei lembrar. Ele estava de calção de banho quando entrou no meu quarto naquela tarde e prometeu ficar por perto. Olhei da sacada na esperança de enxergar o barco, caso Oliver tivesse decidido sair com ele de novo. Estava atracado em nosso cais.

Quando desci, meu pai estava tomando um drinque com um jornalista francês. — Por que não toca alguma coisa? — pediu ele.

— *Non mi va* — respondi. — Não estou com vontade.

— *E perché non ti va?* — perguntou ele, como se não tivesse gostado do tom das minhas palavras.

— *Perché non mi va!* — rebati.

Depois de finalmente ter cruzado uma barreira e tanto naquela manhã, parecia que eu podia expressar abertamente qualquer mesquinharia que passasse pela minha cabeça.

Talvez eu também devesse tomar um gole de vinho, disse meu pai.

Mafalda anunciou o jantar.

— Não está muito cedo para jantar? — perguntei.

— Já passa das oito.

Minha mãe acompanhava uma das amigas que tinha vindo de carro e precisava ir embora.

Fiquei grato pelo francês ainda estar na beirada da poltrona, como se prestes a se levantar para ser levado até a sala de jantar, mas ainda sentado, sem sair do lugar. Ele segurava um copo vazio, o que obrigava meu pai, que acabara de perguntar o que ele esperava da temporada de ópera a começar em breve, a permanecer sentado enquanto ele terminava de responder.

O jantar foi adiado por mais cinco ou dez minutos. Se Oliver chegasse atrasado para o jantar, não comeria conosco. Mas se chegasse atrasado significava que tinha jantado em outro lugar. Eu não queria que ele jantasse em outro lugar, queria que estivesse ali conosco naquela noite.

— *Noi ci mettiamo a tavola*, vamos nos sentar à mesa — disse minha mãe.

E então pediu que eu me sentasse ao lado dela.

A cadeira de Oliver estava vazia. Minha mãe reclamou que ele podia pelo menos avisar quando não viesse jantar.

Meu pai disse que podia ser culpa do barco de novo. Aquele barco devia ser completamente destruído.

Mas o barco estava lá embaixo, eu disse.

— Então deve ser a tradutora. Quem foi mesmo que disse que ele precisava encontrar a tradutora hoje à noite? — perguntou minha mãe.

Não devia demonstrar ansiedade. Ou que me importava. Fiquei calmo. Eu não queria sangrar de novo. Mas aquele momento, que agora parecia ser de felicidade, no qual pedalamos pela *piazzetta* antes e depois da nossa conversa, pertencia a outro segmento de tempo, como se tivesse acontecido com outro eu em outra vida que não era muito diferente da minha, mas suficientemente distante para fazer com que os poucos segundos que nos mantinham afastados parecessem a anos-luz de distância. Se colocasse meu pé no chão e fingisse que o dele estava bem atrás do pé da mesa, aquele pé, como uma nave espacial que ativou o escudo de invisibilidade, como um fantasma convocado pelos vivos, de repente se materializaria por uma dobra espacial dizendo "Sei que você me chamou. Procure e me encontrará."

Logo a amiga da minha mãe, que no último minuto resolveu ficar para jantar, foi convidada a sentar no lugar que eu tinha ocupado no almoço. O prato do Oliver foi retirado imediatamente.

A retirada foi sumária, sem nem sinal de arrependimento ou remorso, como quando removemos uma lâmpada queimada ou limpamos as entranhas de um carneiro que costumava ser um animal de estimação, ou tiramos os lençóis e cobertores da cama em que alguém morreu. Aqui, pegue, tire isso de vista. Fiquei olhando seus talheres, seu *sousplat*, seu guardanapo, sua própria existência desaparecer. Era um presságio exato do que aconteceria dali a menos de um mês. Não olhei para Mafalda. Ela odiava essas mudanças de última hora na organização da mesa do jantar. Balançava a cabeça em repreensão a Oliver, a minha mãe, a nosso mundo. A mim também, imagino. Sem olhar para ela, eu sabia que seu olhar percorria meu rosto até me encarar diretamente, procurando estabelecer contato visual. Foi por isso que evitei tirar os olhos do meu *semifreddo*, que eu amava, e que ela sabia que eu amava e tinha deixado ali para mim porque, apesar do olhar de censura que com afinco buscava o meu, ela sabia que eu sabia que ela sentia pena de mim.

Mais tarde naquela noite, enquanto tocava algo ao piano, meu coração acelerou quando pensei ter ouvido uma scooter parar diante do nosso portão. Alguém tinha lhe dado uma carona. Mas eu podia estar enganado. Tentei ouvir seus passos, o som do cascalho sob seus pés até o bater seco das alpargatas quando ele subisse a escada que levava à varanda. Mas nenhum desses sons entrou na casa.

Muito, muito depois, na cama, ouvi uma música que vinha de um carro parado na estrada principal, além da alameda de pinheiros. Porta se abre. Porta bate. Carro sai. Música começa a sumir. Só o som da rebentação e do cascalho suavemente rearranjado pelos passos preguiçosos de alguém que está perdido em pensamentos ou levemente bêbado.

E se a caminho do quarto ele parasse no meu, como se dissesse: Pensei em dar uma olhada aqui antes de deitar e ver como você está. Tudo bem?

Nenhuma resposta.

Puto?

Nenhuma resposta.

Você *está* puto?

Não. Nem um pouco. É que você disse que estaria por aqui.

Então você *está* puto.

Então por que você não ficou por aqui?

Ele me encara e, de um adulto para outro, Você sabe exatamente por quê.

Porque você não gosta de mim.

Não.

Porque você nunca gostou de mim.

Não. Porque não sou bom para *você*.

Silêncio.

Acredite em mim, apenas acredite.

Levanto a ponta do lençol.

Ele balança a cabeça.

Só um pouco?

Não de novo. Eu me conheço, diz ele.

Ouvi Oliver dizer essas mesmas palavras antes. Querem dizer estou morrendo de vontade, mas talvez não consiga me segurar, então prefiro nem começar. Que desenvoltura dizer que não pode tocar alguém porque conhece a si mesmo.

Bom, já que não vai fazer nada comigo... pode pelo menos me contar uma história?

Eu me contentaria com isso. Queria que ele me contasse uma história. De Tchekhov, Gogol ou Katherine Mansfield. Tire a roupa, Oliver, e deite em minha cama, eu quero sentir sua pele, seu cheiro, seu cabelo no meu corpo, seu pé no meu, mesmo que a gente não faça nada, vamos ficar abraçados, você e eu, quando a noite se esparramar no céu, e conte histórias de pessoas inquietas que sempre acabam sozinhas e odeiam estar sozinhas porque é a si mesmas que não suportam...

Traidor, pensei enquanto esperava ouvir a porta do seu quarto abrir e fechar. Traidor. A facilidade com que esquecemos. *Vou ficar por aqui.* Claro. Mentiroso.

Nunca passou pela minha cabeça que eu também era um traidor, que em algum lugar na praia perto de casa uma garota tinha esperado por mim naquela noite, como esperava todas as noites, e que eu, como Oliver, não tinha sequer parado para pensar nela.

Ouvi quando ele chegou ao corredor. Tinha deixado a porta do meu quarto entreaberta, esperando que a luz de fora entrasse o suficiente para revelar meu corpo. Meu rosto estava virado para a parede. A decisão era dele. Passou direto, não parou. Nem sequer hesitou. Nada.

Ouvi sua porta fechar.

Poucos minutos depois, abriu de novo. Meu coração acelerou. Eu já estava suando e sentia o travesseiro úmido. Ouvi mais alguns passos. Então ouvi a porta do banheiro se fechar. Se ele abrisse o chuveiro significava que tinha transado com alguém. Ouvi a banheira e depois o chuveiro. Traidor. Traidor.

Esperei que ele saísse do banho. Mas estava demorando uma eternidade.

Quando finalmente virei para espiar o corredor, percebi que meu quarto estava completamente escuro. A porta estava fechada... alguém tinha entrado? Senti o cheiro do xampu Roger & Gallet que ele usava, tão perto de mim que se eu levantasse o braço sabia que tocaria seu rosto. Ele estava no meu quarto, em pé no escuro, sem se mexer, como se tentasse decidir se me acordava ou tentava vir até a cama no escuro. Ah, que noite abençoada, pensei, abençoada. Sem dizer uma palavra, tentei enxergar o roupão que eu tinha usado tantas vezes depois dele, o longo cinto de algodão tão perto de mim agora, encostando levemente em meu rosto enquanto ele ficava ali, pronto para deixar o roupão cair. Ele veio descalço? Tinha trancado a porta ao entrar? Estava tão duro quanto eu, e seu pau já queria sair do roupão, por isso o cinto estava quase acariciando meu rosto, ele estava fazendo isso de propósito, eram cócegas em meu rosto, não pare, não pare, nunca pare. Sem aviso, a porta começou a abrir. Por que abrir a porta agora?, eu me perguntei.

Tinha sido só uma corrente de ar. Uma corrente de ar tinha fechado a porta. E uma corrente de ar tinha aberto a porta. O cinto que tinha feito cócegas em meu rosto não era nada mais que o mosquiteiro encostando em meu rosto quando eu respirava. Do lado de fora, eu ouvia a água escorrer no banheiro, horas e mais horas pareciam ter passado desde que ele tinha entrado no banho. Não, não era o chuveiro, mas a descarga. Nem sempre funcionava e às vezes esvaziava quando estava prestes a transbordar, para encher de novo e esvaziar de novo, e mais uma vez, a noite toda. Quando saí na varanda e percebi a delicada luz azulada contornando o mar, soube que já estava amanhecendo.

Acordei de novo uma hora depois.

No café da manhã, como de costume, fingi nem notar sua presença. Foi minha mãe quem falou primeiro, *Ma guardi un po' quant' è pallido*, olhe só como está abatido! Apesar das brincadeiras, ela continuava sendo formal quando falava com Oliver. Meu pai ergueu o olhar e continuou lendo o jornal.

— Espero que tenha ganhado muito dinheiro ontem à noite, ou vou ter que me explicar ao seu pai.

Oliver abriu o topo do ovo quente com a colher de chá. Ainda não tinha aprendido.

— Eu nunca perco, Pro.

Ele falou para o ovo do modo que meu pai tinha falado para o jornal.

— Ele aprova isso?

— Eu uso meu próprio dinheiro. Faço isso desde o curso preparatório. Ele não teria como não aprovar.

Tive inveja dele.

— Bebeu muito ontem à noite?

— Entre outras coisas...

Desta vez ele estava passando manteiga no pão.

— Acho que não quero saber — disse meu pai.

— Meu pai também não. E, para ser sincero, eu mesmo não faço questão de lembrar.

Isso tinha sido por minha causa? Olha, nunca vai acontecer nada entre nós e, quanto antes você entender isso, melhor para todos.

Ou seria só pose?

Como eu admirava pessoas que falavam de seus vícios como se fossem parentes distantes que aprenderam a suportar porque não queriam deserdá-los. *Entre outras coisas.*

Não faço questão de lembrar — assim como *Eu me conheço* — apontava para um reino da experiência humana a que só os outros tinham acesso, não eu. Como eu desejava poder dizer algo assim um dia... que eu não fazia questão de lembrar o que tinha feito à noite na glória da manhã. Fiquei imaginando quais seriam as outras coisas que demandavam um banho. Você tomou banho porque, do contrário, seu corpo não aguentaria? Ou tomou banho para esquecer, para lavar qualquer vestígio de obscenidade e degradação da noite anterior? Ah, declarar seus vícios balançando a cabeça e engoli-los com suco de damasco preparado na hora pelos dedos artríticos de Mafalda e estalar os lábios depois!

— Você guarda o que ganha?

— Guardo e invisto, Pro.

— Quem dera eu tivesse a sua cabeça com a sua idade; teria me poupado muitos desvios errados — disse meu pai.

— Você, desvios errados, Pro? Sinceramente, não consigo imaginar você nem pensando em um desvio errado.

— É porque você me vê como uma referência, não um ser humano. Pior: como uma referência velha. Mas houve. Desvios errados, quero dizer. Todos passamos por um período de *traviamento*... quando tomamos, digamos, uma direção diferente na vida, outra *via*. O próprio Dante passou por isso. Alguns se recuperam, alguns fingem se recuperar, alguns nunca voltam, alguns se acovardam antes mesmo de começar e alguns, por medo de fazer qualquer desvio, acabam levando uma vida errada até morrer.

Minha mãe soltou um suspiro melódico, seu jeito de avisar à plateia que aquilo poderia facilmente virar uma aula improvisada do grande homem.

Oliver começou a abrir outro ovo.

A pele logo abaixo dos olhos estava inchada. Parecia exausto.

— Às vezes o *traviamento* acaba se revelando o caminho certo, Pro. Ou um caminho tão bom quanto qualquer outro.

Meu pai, que àquela altura já estava fumando, assentiu pensativo, seu jeito de dizer que não era especialista no assunto e que estava mais que disposto a ceder aos que eram.

— Com a sua idade, eu não sabia de nada. Mas hoje todos sabem, e todos falam, falam, falam.

— Talvez o Oliver precise dormir, dormir, dormir.

— Signora P., prometo que esta noite não haverá nada de pôquer, nada de bebida. Vou colocar uma roupa limpa, revisar meu manuscrito e, depois do jantar, todos vamos assistir à TV e jogar cartas, como idosos em Little Italy. Mas antes — acrescentou, com um sorriso afetado no rosto —, preciso encontrar Milani. Hoje à noite, prometo, serei o garoto mais comportado de toda Riviera.

E foi o que aconteceu. Depois de uma escapada breve a B., ele assumiu o papel de Oliver "verde" o dia todo, uma criança com a idade de Vimini, com toda sua candura e nenhuma das suas farpas. Também mandou entregarem uma enorme diversidade de flores da floricultura da cidade.

— Você enlouqueceu — disse minha mãe.

Depois do almoço, ele disse que ia tirar um cochilo... o primeiro e único durante toda sua estadia conosco. E, de fato, cochilou, porque quando acordou por volta das cinco, parecia tão revigorado quanto alguém que tivesse rejuvenescido dez anos: bochechas coradas, olhos bem descansados, nem sinal da exaustão. Passaria por alguém com a minha idade. Conforme prometido, naquela noite todos nos sentamos — não havia convidados — e assistimos a novelas românticas. A melhor parte era que todos, incluindo Vimini, que entrou em algum momento, e Mafalda, que estava perto da porta da sala, reagiam a cada cena, previam o fim, por vezes indignados e rindo da estupidez da história, dos atores, dos personagens. Por quê, o que você teria feito no lugar dela? Eu teria ido embora. E você, Mafalda? Bem, na minha opinião ela devia ter aceitado na primeira vez que ele pediu, e não enrolado por tanto tempo. É exatamente o que eu quero dizer! Ela colheu o que plantou. Isso sim.

Fomos interrompidos apenas uma vez. Era uma ligação dos Estados Unidos. Oliver gostava de que suas conversas ao telefone fossem extremamente breves, quase bruscas. Ouvimos quando soltou seu inevitável *Até depois!*, desligou e, de repente, voltou perguntando o que tinha perdido. Ele nunca comentava nada depois de desligar. Nunca perguntávamos. Todos se ofereceram para deixá-lo a par da história ao mesmo tempo, incluindo meu pai, cuja versão do que Oliver tinha perdido era menos precisa do que a de Mafalda. Houve muito barulho, o que fez com que perdêssemos mais da novela do que Oliver havia perdido com a breve ligação. Muita risada. Em determinado momento, quando estávamos muito concentrados no drama, Anchise entrou na sala e, desenrolando uma camiseta velha ensopada, apresentou a pesca da noite: um robalo gigante, imediatamente destinado para o almoço e o jantar do dia seguinte, o suficiente para quantas pessoas quisessem se juntar a nós. Meu pai decidiu servir um pouco de grapa para todos, incluindo algumas gotinhas para Vimini.

Naquela noite todos fomos dormir cedo. Exaustão era a ordem do dia. Eu devo ter dormido muito profundamente porque, quando acordei, já estavam tirando o café da mesa.

Encontrei Oliver deitado na grama com um dicionário à esquerda e um bloco de anotações sob o peito. Eu esperava que ele aparentasse cansaço ou estivesse no mesmo clima do dia anterior, mas ele já estava mergulhado no trabalho. Fiquei desconfortável ao quebrar o silêncio. Me senti tentado a voltar ao hábito de fingir não notar sua presença, mas parecia difícil agir assim agora, principalmente porque ele tinha dito dois dias antes que sempre soube que era encenação.

Saber que tínhamos encenado mudaria alguma coisa entre nós agora que não estávamos nos falando de novo?

Provavelmente não. Poderia até aprofundar ainda mais a situação, porque seria difícil algum de nós dois acreditar que seríamos burros o suficiente para fingir exatamente aquilo que já tínhamos confessado ser fingimento. Mas não consegui me segurar.

— Esperei por você naquela noite.

Eu parecia minha mãe censurando meu pai quando ele chegava tarde sem explicações. Eu nunca tinha percebido que podia ser tão rabugento.

— Por que não foi até a cidade? — Foi a resposta dele.

— Sei lá.

— Foi divertido. Você também teria se divertido. Pelo menos descansou?

— De certa forma. Estava inquieto. Mas bem.

Ele tinha voltado a olhar para a página e movia os lábios, talvez para mostrar que estava concentrado na leitura.

— Você vai à cidade hoje de manhã?

Eu sabia que estava interrompendo e me odiava por isso.

— Depois, talvez.

Eu devia ter entendido o recado, e entendi. Mas parte de mim se recusava a acreditar que alguém podia mudar tão rápido.

— Eu também estava pensando em ir.
— Sei.
— Um livro que encomendei finalmente chegou. Fiquei de buscar na livraria hoje de manhã.
— Que livro?
— *Armance*.
— Posso pegar se você quiser.

Olhei para ele. Eu me sentia uma criança que, apesar de toda sorte de pedidos e avisos indiretos, é incapaz de lembrar aos pais que eles prometeram levá-la à loja de brinquedos. Não havia motivo para rodeios.

— É que eu pensei que poderíamos ir juntos.
— Como naquele dia? — completou ele, como se me ajudasse a dizer o que eu não conseguia dizer sozinho, mas não facilitando as coisas ao fingir que tinha esquecido o dia exato.
— Não acho que vamos fazer algo como aquilo de novo. — Tentei soar nobre e solene em minha derrota. — Mas, sim, como naquele dia. — Eu também podia ser vago.

O fato de eu, um garoto extremamente tímido, ter reunido a coragem necessária para dizer tudo aquilo só podia ser consequência de uma coisa: um sonho que tive duas, talvez três noites seguidas. No sonho, ele me implorava, dizendo "Você vai me matar se parar". Eu achava que lembrava o contexto, mas a vergonha era tanta que eu estava relutante em reconhecer, até para mim mesmo. Eu havia encoberto aquilo e só conseguia dar espiadas rápidas e furtivas.

— Aquele dia pertence a outro espaço-tempo. Devemos entender isso e aceitar...

Oliver ficou ouvindo.

— Essa voz da razão é sua melhor característica. — Ele ergueu o olhar do bloco de anotações e estava me encaran-

do, me deixando muito desconfortável. — Você gosta tanto assim de mim, Elio?
— Se eu gosto de você?
Eu queria parecer incrédulo, como se não acreditasse que ele fosse capaz de duvidar de algo assim. Mas então pensei melhor e estava prestes a suavizar o tom da resposta com um *Talvez* significativamente evasivo que na verdade queria dizer *Com certeza*, quando soltei:
— Se eu gosto de você, Oliver? Eu idolatro você.
Pronto, estava às claras. Eu queria que a palavra o pegasse de sobressalto e que fosse como um tapa na cara para que em seguida pudessem vir os afagos mais doces. O que é *gostar* diante de *idolatrar*? Mas eu também queria que meu verbo carregasse o golpe persuasivo como nas situações em que não a pessoa interessada em nós, mas seu amigo mais próximo nos puxa de lado e diz *Olha, eu acho que você precisa saber, fulano idolatra você*. "Idolatrar" parecia dizer mais do que qualquer pessoa ousaria dizer sob quaisquer circunstâncias; mas era a coisa mais segura e, no fim das contas, obscura que eu poderia ter dito. Fiquei impressionado por ter dito a verdade e, ao mesmo tempo, encontrado um atalho para retirada imediata caso tivesse ido longe demais.
— Vou com você a B. — disse ele. — Mas... sem discursos.
— Sem discursos, nada, nem uma palavra.
— O que acha de pegarmos as bicicletas em meia hora?
Ah, Oliver!, exclamei para mim mesmo a caminho da cozinha para um lanche rápido. Eu faço qualquer coisa por você. Subo o penhasco com você, e aposto corrida com você na estrada que leva à cidade, e não aponto o mar quando chegarmos ao penhasco, e espero por você no bar na *piazzetta* enquanto fala com a tradutora, e toco o memorial aos

soldados anônimos que morreram no Piave, e não digo uma palavra, mostro o caminho até a livraria, e paramos nossas bicicletas do lado de fora da loja e entramos juntos e saímos juntos, e prometo, prometo, prometo, não falarei em Shelley, ou Monet, nem me inclinarei para contar que há duas noites você colocou um anel de crescimento no tronco da minha alma.

Vou desfrutar o momento pelo que ele é, dizia a mim mesmo. Somos dois jovens andando de bicicleta, e vamos pedalar até a cidade e voltar, e vamos nadar, jogar tênis, comer, beber e, à noite, nos encontrar na mesma *piazzetta* onde havia duas manhãs dissemos tanto, mas na verdade nada. Ele vai estar com uma garota, eu vou estar com uma garota, e vamos até parecer felizes. Todos os dias, se eu não estragar as coisas, podemos pedalar até a cidade e voltar, e mesmo se isso for tudo que ele se dispuser a dar, vou aceitar; posso aceitar menos, até, nem que seja para viver de migalhas.

Pedalamos até a cidade aquela manhã e passamos rápido pela tradutora, mas, mesmo depois de um café às pressas no bar, a livraria ainda não estava aberta. Então ficamos na *piazzetta*, eu olhando para o memorial, ele para a vista da baía colorida, nenhum de nós dizendo uma palavra sobre o fantasma de Shelley, que acompanhava cada passo que dávamos na cidade e chamava mais alto que o pai de Hamlet. Sem pensar, ele perguntou como alguém podia se afogar naquele mar. Sorri no ato, porque percebi sua tentativa de voltar atrás, o que imediatamente trouxe sorrisos cúmplices aos nossos lábios, como um beijo molhado e apaixonado no meio de uma conversa entre dois indivíduos que, sem pensar, buscam os lábios um do outro, atravessando o deserto vermelho escaldante que tinham colocado intencionalmente no caminho para que não buscassem a nudez do outro.

— Achei que não íamos falar de... — comecei.

— Sem discursos. Eu sei.

Quando voltamos à livraria, deixamos as bicicletas do lado de fora e entramos.

Parecia especial. Como mostrar a alguém uma capela particular, um lugar secreto, onde, como o penhasco, vamos para ficar sozinhos, para sonhar com outras pessoas. Era aqui que eu sonhava com você antes de você entrar na minha vida.

Gostei do comportamento dele na livraria. Demonstrava curiosidade, mas não atenção, interesse, e sim uma leve indiferença, alternando entre *Olhe o que eu achei* e É claro, como uma livraria poderia não ter esse livro!

O vendedor tinha encomendado duas cópias de *Armance*, de Stendhal, uma brochura e outra mais cara, de capa dura. Um impulso me fez dizer que levaríamos as duas e que ele devia colocar na conta do meu pai. Então pedi uma caneta ao assistente, abri a edição de capa dura e escrevi "*Zwischen Immer und Nie*, para você em silêncio, em algum lugar na Itália em meados dos anos oitenta".

Nos anos que viriam, caso ainda tivesse o livro, queria que ele sentisse saudade. Melhor ainda, queria que alguém que estivesse olhando seus livros um dia abrisse aquele pequeno volume de *Armance* e perguntasse: Quem estava em silêncio em algum lugar na Itália em meados dos anos oitenta? Então queria que ele sentisse algo tão agudo quanto o pesar e mais feroz que o arrependimento, talvez até pena de mim, porque na livraria naquela manhã eu também teria aceitado a pena, se fosse tudo que ele tivesse a oferecer, se a pena pudesse fazer com que ele me abraçasse e, sob essa onda de pena e arrependimento, suspensa como uma corrente vaga e erótica que levara anos para se formar, eu queria que ele se lembrasse daquela manhã no penhasco de Monet em que o beijei não pela primeira, mas pela segunda vez e coloquei minha saliva em sua boca porque queria desesperadamente a dele na minha.

Ele disse algo sobre ser o melhor presente que recebeu o ano inteiro. Dei de ombros diante daquela gratidão formal. Talvez eu só quisesse que ele repetisse.

— Fico feliz. Só queria agradecer por esta manhã. — E antes que ele pudesse pensar em interromper, acrescentei: — Eu sei. Sem discursos. Nunca.

Ao descer a colina, passamos pelo meu lugar, e desta vez fui eu quem desviou o olhar, como se tivesse esquecido o que aconteceu. Tenho certeza de que se olhasse para ele naquele momento, teríamos trocado o mesmo sorriso contagiante que sumira imediatamente de nosso rosto quando ele citou a morte de Shelley. Poderia ter nos aproximado, só para nos lembrar do quanto precisávamos nos afastar. Talvez, ao desviar o olhar e saber que tínhamos desviado para evitar "discursos", tivéssemos encontrado um motivo para sorrir um para o outro, pois tenho certeza de que ele sabia que eu sabia que ele sabia que eu estava evitando qualquer menção ao penhasco de Monet, e que essa atitude, que deveria nos separar, era, na verdade, um momento perfeitamente sincronizado de intimidáde que nenhum de nós desejava dissipar. Esse lugar também está naquele livro, eu poderia ter dito, mas me contive. Sem discursos.

No entanto, se durante o passeio das manhãs seguintes ele perguntasse, eu falaria tudo.

Contaria que embora pedalássemos todos os dias até nossa *piazzetta* preferida, onde eu decidia nunca falar fora de hora, todas as noites, quando eu sabia que ele estava na cama, ainda abria a persiana e ia até a varanda, torcendo para que ele ouvisse o som revelador das dobradiças antigas quando minha porta se abrisse. Esperava por ele lá, apenas com o short do pijama, pronto para declarar, se ele perguntasse o que eu estava fazendo ali, que a noite estava muito quente e o cheiro de citronela insuportável, e que eu preferia ficar acordado, sem dormir, sem ler, só olhando para o nada, porque não conseguia dormir, e se ele perguntasse por que eu não conseguia dormir, simplesmente responder Você não quer saber, ou, de maneira indireta, dizer que eu tinha prometido nunca passar para o lado dele da sacada, em parte porque morria de medo de ofendê-lo, mas também porque não queria testar a armadilha invisível entre nós — *De que armadilha você está falando?*; a armadilha que, uma noite dessas, se meu sonho fosse muito poderoso ou eu tivesse bebido mais vinho que o normal, poderia acionar facilmente, abrir sua porta e dizer Oliver, sou eu, não consigo dormir, posso ficar com você? *Essa* armadilha!

A armadilha se fazia notar a noite toda. Uma coruja, o som da persiana do quarto de Oliver rangendo com o vento, a música que varava a madrugada vinda da boate distante de uma cidade na colina, os gatos brigando tarde da noite, o estalar do lintel de madeira da porta do meu quarto, qualquer coisa me acordava. Mas eu conhecia esses barulhos desde a infância e, como um fauno sonolento abanando o rabo para espantar um inseto intruso, sabia afastá-los e pegar no sono novamente. Às vezes, no entanto, um quase nada, como a sensação de pavor ou vergonha, conseguia se libertar do meu sono e pairar indefinidamente sobre mim enquanto eu dormia e, curvando-se em direção ao meu ouvido, finalmente dizia *Não estou tentando acordá-lo, não mesmo, volte a dormir, Elio, continue dormindo.* E enquanto isso eu fazia de tudo para recuperar o sonho para o qual retornaria a qualquer momento, um que poderia quase reeditar se me esforçasse um pouco mais.

Mas o sono não vinha e, claro, não apenas um, mas dois pensamentos perturbadores, como fantasmas se materializando na névoa do sono, passavam a me vigiar: o desejo e a vergonha, a vontade de abrir minha janela e, sem pensar, correr nu até o quarto dele e, por outro lado, minha recorrente incapacidade de correr o menor risco ao fazer algo assim. Lá estavam eles, o legado da juventude, as duas mascotes da minha vida, a fome e o medo, me vigiando e dizendo *Tantos antes de você arriscaram e foram recompensados, por que você não consegue?* Nenhuma resposta. *Tantos se recusaram, por que você se recusa?* Nenhuma resposta. Então o escárnio vinha, como sempre: *Se não depois, Elio, quando?*

Naquela noite, mais uma vez, uma resposta veio, embora tenha vindo em um sonho que era um sonho dentro de um sonho. Acordei com uma imagem que me dizia mais do que eu queria saber, como se, apesar de todas as confissões sinceras que fazia a mim mesmo sobre o que queria dele, e como queria, ainda houvesse alguns detalhes que eu evitava. Nesse sonho, finalmente descobri o que meu corpo devia saber desde o primeiro dia. Estávamos no quarto dele e, ao contrário de todas as minhas fantasias, não era eu quem estava deitado na cama, mas Oliver; eu estava em cima dele, via em seu rosto uma expressão tão corada, tão submissa que, mesmo no sonho, arrancou qualquer emoção que eu poderia sentir e me disse a única coisa que eu jamais teria adivinhado até então: que não pagar o preço de dar a ele o que eu queria dar poderia ser o maior crime de toda a minha vida. Eu queria desesperadamente dar algo a ele. No entanto, pegar algo dele parecia tão insosso, tão superficial, tão mecânico. Foi quando ouvi, como já sabia que ouviria. "Você vai me matar se parar", ele estava ofegante, consciente de que já tinha dito essas exatas palavras para mim algumas noites antes em outro sonho, mas de que, tendo-as proferido uma vez, também estava livre para repeti-las sempre que entrasse em meus sonhos, embora nenhum de nós parecesse saber se era a voz dele saindo de dentro de mim ou se minha memória daquelas palavras é que explodia nele. Seu rosto, que parecia ao mesmo tempo suportar minha paixão e, com isso, incentivá-la, passava uma imagem de gentileza e calor que eu nunca tinha visto e jamais teria imaginado no rosto de alguém. Essa mesma imagem dele viria a se tornar um farol em minha vida, fazendo a vigília nos dias em que eu estivesse prestes a desistir, reacendendo meu desejo sempre que eu quisesse sufocá-lo, alimentado as brasas da coragem sempre que eu temesse que seu desprezo desmantelasse qualquer orgulho que ainda me restasse. A expressão dele era como a foto de um ente querido que os soldados levam ao campo de batalha não apenas para lembrá-los de que há coisas boas na vida e que a felicidade espera por eles, mas também de que a vida pode nunca perdoá-los se voltarem em um saco preto.

Essas palavras me faziam desejar e experimentar coisas de que jamais pensei que fosse capaz.

Independentemente do quanto desejasse não se envolver comigo, independentemente das amizades que tivesse feito e de com quem dormisse todas as noites, qualquer um que me revelasse toda sua humanidade, deitado nu sob mim, mesmo que em sonho, não poderia ser diferente na vida real. Aquele era seu eu verdadeiro; o restante era simulação e erro.

Não; ele também era outro homem, o do calção de banho vermelho.

Eu é que não tinha mais esperança de que um dia o veria sem calção.

Se na segunda manhã depois da *piazzetta* eu reuni coragem de insistir em ir à cidade com ele, embora estivesse óbvio que ele não queria nem falar comigo, era só porque, quando olhei para Oliver e o vi mexendo os lábios ao ler as palavras que tinha escrito em seu bloco de anotações, eu me lembrava daquelas palavras de súplica: "Você vai me matar se parar." Quando ofereci o livro na livraria, e depois até insisti em pagar o sorvete porque comprar sorvete também significava passar com as bicicletas pelas ruas estreitas e sombreadas de B. e, portanto, ficar mais um pouco juntos, também era para agradecer-lhe por ter me dado o "Você vai me matar se parar". Mesmo quando o provoquei e prometi não fazer discursos, era porque secretamente ansiava pelo "Você vai me matar se parar", muito mais precioso agora do que qualquer outra confissão que ele pudesse fazer. Naquela manhã, escrevi essas palavras em meu diário, mas omiti o fato de que tinham sido ditas em um sonho. Queria voltar anos depois e acreditar, mesmo que só por um instante, que ele tinha de fato proferido essas palavras suplicantes. O que eu queria preservar era o suspiro pesado em sua voz que ficou comigo por dias, e se pudesse tê-lo assim em meus sonhos toda noite, passaria o resto da vida nos sonhos e desistiria da realidade.

Enquanto descíamos, passando pelo meu lugar favorito e pelas oliveiras, pelos girassóis que viraram o rosto surpreso para nós quando deslizamos, pelos pinheiros, pelos dois vagões que tinham perdido as rodas havia gerações, mas ainda carregavam as insígnias reais da Casa Savoia, pelo grupo de vendedores ciganos que gritaram quando passamos quase atropelando suas filhas com as bicicletas, virei para ele e gritei:

— Me mate se eu parar.

Eu disse para colocar as palavras dele na minha boca, para saboreá-las por mais tempo antes de guardá-las de novo em meu esconderijo, como pastores que levam as ovelhas para as montanhas quando está calor, mas as trazem de volta para dentro assim que esfria. Ao gritar as palavras dele, elas se concretizavam e ganhavam mais tempo, como se tivessem vida própria agora, uma vida mais longa e clara que ninguém poderia controlar, como a vida dos ecos ao bater nos penhascos de B. e mergulhar nas águas distantes onde o barco de Shelley encontrou a tempestade. Eu restituía a Oliver o que era seu, devolvia suas palavras com um desejo implícito de que ele as repetisse de volta para mim, como no sonho, porque agora era sua vez de dizê-las.

Durante o almoço, nem uma palavra. Depois do almoço, ele sentou à sombra no jardim para fazer, como anunciou antes do café, o trabalho de dois dias. Não, ele não ia para a cidade à noite. Talvez no dia seguinte. Também não ia jogar pôquer. Então subiu.

Alguns dias antes, o pé dele era meu. Agora, nem mesmo um olhar.

Perto da hora do jantar, ele desceu para tomar um drinque.

— Vou sentir falta disso tudo, Sra. P. — disse, o cabelo brilhando após a ducha ao fim da tarde, a aparência de *star* presente em todas as suas características.

Minha mãe sorriu; *il muvi star* era bem-vindo *ennni taime*. Depois ele deu a caminhada de sempre com Vimini para ajudá-la a procurar pelo camaleão de estimação. Nunca entendi o que eles viam um no outro, mas parecia muito mais natural e espontâneo do que qualquer coisa que ele e eu compartilhávamos. Meia hora depois, voltaram. Vimini tinha subido em uma figueira, e sua mãe mandou que fosse tomar banho antes do jantar.

Durante a refeição, nenhuma palavra. Depois do jantar, ele desapareceu lá em cima.

Eu poderia jurar que por volta das dez ele tinha dado uma fugida para a cidade. Mas via a luz acesa no lado dele da varanda. Lançava um fraco raio alaranjado em direção à minha porta. De vez em quando, ouvia-o se mexer.

Decidi ligar para um amigo e perguntar se ele ia à cidade. A mãe respondeu que ele já havia saído e que, sim, provavelmente tinha ido ao mesmo lugar. Liguei para outro. Também já tinha saído. Meu pai disse:

— Por que você não liga para a Marzia? Está evitando a garota?

Evitando não, mas ela parecia complicada demais.

— Como se você não fosse! — acrescentou ele.

Quando liguei ela disse que não ia sair naquela noite. Havia frieza em sua voz. Eu estava ligando para pedir desculpas.

— Soube que você esteve doente.

Não era nada. Respondi. Eu podia ir buscá-la de bicicleta para irmos juntos a B. Ela disse que iria comigo.

Meus pais assistiam à TV quando eu saí. Ouvi meus passos no cascalho. Não me importei com o barulho, porque me fazia companhia. Ele também ouviu, pensei.

Marzia me encontrou em seu jardim. Estava sentada em uma cadeira velha de ferro fundido, com as pernas esticadas à frente, só os calcanhares tocando o chão. A bicicleta estava encostada em outra cadeira, o guidão também tocando o chão. Ela usava suéter. Você me fez esperar muito, disse ela. Saíamos por um atalho que era mais íngreme, mas que nos levou rapidamente à cidade. A luz e o som da agitada vida noturna que vinham da *piazzetta* invadiam os becos. Um dos restaurantes tinha o hábito de colocar mesinhas de madeira na calçada sempre que sua clientela lotava o espaço alocado na praça. Quando entramos na *piazza*, a agitação me causou a habitual sensação de ansiedade e inadequação. Marzia encontraria amigos, outros iam me provocar. O simples fato de estar com ela seria um desafio para mim de alguma forma. Eu não queria ser desafiado.

Em vez de nos juntarmos a algumas pessoas que conhecíamos em uma mesa nos *caffès*, entramos na fila para comprar dois sorvetes. Ela pediu que eu comprasse cigarros também.

Então, com os sorvetes, começamos a percorrer casualmente a *piazzetta* lotada, caminhando devagar por uma rua, depois por outra, e por outra. Eu gostava quando os paralelepípedos brilhavam no escuro, gostava de como ela e eu caminhávamos devagar com as bicicletas, ouvindo as conversas abafadas das TVs que vinham das janelas abertas. A livraria ainda estava aberta, e perguntei se ela se importava. Não, ela não se importava, podia entrar comigo. Encostamos as bicicletas no muro. O som da esvoaçante cortina de contas revelou uma loja esfumaçada repleta de cinzeiros cheios até a boca. O dono pensava em fechar logo, mas o quarteto de Schubert ainda estava tocando e um casal de vinte e poucos anos, turistas, olhava os romances na seção de língua inglesa, provavelmente procurando por algum que tivesse a atmosfera local. Como era diferente daquela manhã em que não havia uma alma por ali e a luz forte do sol e o cheiro de café fresco tomavam conta da loja. Marzia ficou olhando por cima do meu ombro quando peguei um livro de poesia da mesa e comecei a ler um dos poemas. Estava prestes a virar a página quando ela disse que não tinha terminado de ler. Gostei disso. Percebendo que o casal ao nosso lado ia comprar um romance italiano traduzido, interrompi a conversa e aconselhei que não o fizessem.

— Este é muito, muito melhor. É ambientado na Sicília, não aqui, mas deve ser o melhor romance italiano do século.

— Nós assistimos ao filme — disse a mulher. — É tão bom quanto Calvino, não é?

Dei de ombros. Marzia ainda estava interessada no mesmo poema, que agora relia.

— Calvino não é nada em comparação... Mas sou só um garoto, quem sou eu para dizer?

Dois outros jovens, usando paletós elegantes, sem gravata, discutiam sobre literatura com o dono, os três fumavam. Na mesa ao lado do caixa, havia várias taças de vinho quase vazias e, perto delas, uma grande garrafa de vinho do porto. Os turistas, percebi, seguravam taças vazias. Obviamente tinham oferecido vinho a eles durante a festa. O dono olhou para nós e, com um olhar que parecia pedir desculpas por interromper, perguntou se também queríamos um pouco de vinho do porto. Olhei para Marzia e dei de ombros, querendo dizer Acho que ela não quer. O dono, ainda em silêncio, apontou para a garrafa e balançou a cabeça em reprovação, sugerindo que seria uma pena desperdiçar um porto tão bom, então por que não ajudá-lo a terminar a garrafa antes de fechar a loja? Por fim aceitei, Marzia também. Por educação, perguntei qual era o livro que estavam celebrando. Outro homem, cuja presença eu não tinha notado porque estava lendo no canto, disse o nome do livro: *Se l'amore. Se o amor.*

— É bom? — perguntei.

— Uma porcaria — respondeu ele. — Eu deveria saber. Eu escrevi.

Senti inveja. Senti inveja da leitura, da festa, dos amigos e fãs que tinham vindo dos arredores para parabenizá-lo na pequena livraria da nossa pequena *piazzetta* na nossa pequena cidade. Tinham deixado mais de cinquenta taças vazias. Senti inveja do privilégio de se diminuir.

— Você assinaria um exemplar para mim?

— *Con piacere* — respondeu ele e, antes mesmo que o dono pudesse lhe entregar uma caneta, já tinha sacado sua Pelikan. — Não sei se este livro é para você, mas...

Ele deixou a fala pairar no silêncio em uma mistura da mais pura humildade manchada por uma leve sugestão de arrogância, que se traduzia em *Você pediu que eu assinasse e fico feliz em desempenhar o papel de poeta famoso que nós dois sabemos que eu não sou.*

Decidi comprar um exemplar para Marzia e implorei que ele o assinasse, pedido ao qual atendeu, trançando um rabisco sem fim ao lado do seu nome.

— Também não acho que seja para você, *signorina*, mas...

Então, mais uma vez, pedi ao vendedor que colocasse os livros na conta do meu pai.

Ao lado do caixa, esperando enquanto o vendedor levava uma eternidade para embalar cada exemplar em um papel amarelo brilhoso, colocar uma fita e, na fita, o adesivo prateado da loja, me aproximei e, talvez por ela simplesmente estar ali tão perto de mim, dei um beijo atrás de sua orelha.

Ela pareceu surpresa, mas não se mexeu. Beijei-a mais uma vez. Então, me contendo, sussurrei:

— Você se incomoda?

— É claro que não — sussurrou ela em resposta.

Do lado de fora, ela não conseguiu se segurar:

— Por que você me deu este livro?

Por um instante, achei que ela fosse perguntar por que eu a tinha beijado.

— *Perché mi andava...* porque me deu vontade.

— Sim, mas por que comprou para mim... por que comprou um livro para *mir*.*?

— Não sei por que você está perguntando isso.

— Um idiota entenderia por que estou perguntando. Mas você não. Imagine só!

— Ainda não entendi.

— Você não tem jeito.

Olhei para ela, parecendo completamente surpreso com o tom de raiva em sua voz.

— Se você não me disser, vou imaginar todo tipo de coisa... e vou me sentir horrível.

— Você é um cretino. Me dá um cigarro.

Não que eu não suspeitasse aonde ela queria chegar, eu só não conseguia acreditar que ela me entendia tão claramente. Talvez eu não quisesse acreditar no que ela sugeria porque tinha medo de ser obrigado a explicar meu comportamento. Será que eu era dissimulado de propósito? Eu seria capaz de seguir fingindo não entender o que ela estava dizendo sem me sentir totalmente desonesto?

Então tive uma ideia brilhante. Talvez eu tivesse ignorado todas suas insinuações de propósito: para obrigá-la a tomar a iniciativa. É a estratégia ineficaz da timidez.

Só então, por um mecanismo de ricochete que me pegou totalmente de surpresa, me ocorreu. Será que Oliver estava fazendo a mesma coisa comigo? Estava me ignorando de propósito só para me atrair? Não foi isso que ele sugeriu quando disse que minhas tentativas de ignorá-lo tinham sido óbvias?

Saímos da livraria e acendemos dois cigarros. Um minuto depois ouvimos um som metálico alto. O dono estava baixando as portas.

— Você gosta tanto assim de ler? — perguntou ela enquanto andávamos devagar no escuro em direção à *piazzetta*.

Olhei para ela como se tivesse me perguntado se eu amava música, ou pão com manteiga, ou pêssegos maduros no verão.

— Não me entenda mal — disse ela. — Eu também gosto de ler, mas não conto a ninguém.

Pelo menos, pensei, alguém que fala a verdade. Perguntei por que ela não contava a ninguém.

— Não sei... — Era o jeito dela de pedir um tempo para pensar antes de responder. — As pessoas que leem se escondem. Escondem quem são. Pessoas que se escondem nem sempre gostam de quem são.

— Você esconde quem você é?

— Às vezes. Você não?

— Eu? Acho que sim. — Então, contrário a todos os meus impulsos, tropecei em uma pergunta que talvez eu nunca ousasse perguntar. — Você esconde algo de mim?
— Não, de você não. Ou talvez, sim, um pouco.
— Tipo o quê?
— Você sabe exatamente *o quê*.
— Por que você acha isso?
— Por quê? Acho que você pode me machucar e não quero me machucar. — Então ela pensou por um instante. — Não que seja sua intenção machucar alguém, mas por estar sempre mudando de ideia, sempre pulando de uma coisa à outra, ninguém sabe onde encontrar você. Você me assusta.

Nós dois estávamos andando tão devagar que nem notamos ao parar. Cheguei mais perto dela e beijei seus lábios suavemente. Ela pegou a bicicleta, apoiou-a na porta de uma loja fechada e, se encostando na parede, disse:
— Me beija de novo?

Usando o pé de apoio, deixei a bicicleta no meio do beco e, quando estávamos próximos um do outro, segurei o rosto dela com as mãos. Então me inclinei e começamos a nos beijar, minhas mãos embaixo da sua camisa, as dela no meu cabelo. Eu amava sua simplicidade, sua doçura. Estavam em cada palavra que Marzia tinha dito naquela noite — livres, francas, humanas — e no modo como seus lábios respondiam aos meus, sem inibição, sem exagero, como se sua conexão entre lábios e quadris fosse fluida e instantânea. Um beijo na boca não era um prelúdio para um contato maior, já era o contato em sua totalidade. Não havia nada entre nossos corpos além de nossas roupas, por isso não fui pego de surpresa quando ela colocou a mão entre nós, baixando-a para dentro da minha calça, e disse:

— *Sei duro, duro,* você está tão duro.

E foi sua sinceridade, sem obstáculos ou restrições, que me deixou ainda mais duro.

Eu queria olhar para ela, olhar dentro de seus olhos enquanto estava em sua mão, dizer há quanto tempo eu queria beijá-la, dizer alguma coisa que mostrasse que a pessoa que havia ligado para ela naquela noite e a buscado em casa não era mais o garoto frio e sem vida, mas ela me atropelou:

— *Baciami ancora*, me beija de novo.

Beijei-a outra vez, mas minha mente voava para o penhasco. Será que eu devia propor? Teríamos que pedalar por cinco minutos, principalmente se pegássemos o atalho dela e fôssemos direto para as oliveiras. Eu sabia que encontraríamos outros casais lá. Ou então poderíamos ir à praia. Eu já tinha usado aquele lugar. Todos já tinham. Eu poderia propor meu quarto, ninguém em casa saberia, ou se importaria.

Uma imagem surgiu em minha cabeça: ela e eu sentados no jardim todas as manhãs depois do café, ela de biquíni, sempre me pedindo para descer e nadar com ela.

— *Ma tu mi vuoi veramente bene*, você gosta mesmo de mim? — perguntou ela.

A pergunta surgiu do nada... ou aquele era o mesmo olhar ferido e precisando de acalento que vinha acompanhando nossos passos desde que saímos da livraria?

Eu não conseguia entender como a ousadia e a tristeza, como *você está tão duro* e *você gosta mesmo de mim* podiam estar tão entrelaçados. Nem conseguia imaginar como alguém que parecia tão vulnerável, hesitante e ansiosa por compartilhar tantas incertezas sobre si mesma podia, com o mesmo gesto, colocar a mão dentro da minha calça com tamanha imprudência, segurar meu pau e não soltar.

Beijando-a com mais paixão, nossas mãos correndo o corpo um do outro, me peguei imaginando o bilhete que passaria por baixo da porta dele naquela noite: *Não suporto o silêncio. Preciso falar com você.*

Quando eu estava pronto para passar o bilhete por baixo da porta de Oliver, já estava amanhecendo. Marzia e eu transamos em um lugar deserto na praia, um lugar apelidado de Aquário, onde as camisinhas da noite inevitavelmente se reuniriam e seriam vistas flutuando entre as pedras como salmões boiando na água parada. Combinamos de nos encontrar mais tarde.

A caminho de casa, amei sentir seu cheiro em meu corpo, em minhas mãos. Não faria nada que pudesse apagá-lo. Ficaria com ele até nos encontrarmos à noite. Parte de mim ainda gostava de sentir aquela recém-encontrada e benéfica onda de indiferença em relação a Oliver, beirando o desgosto, mas que ao mesmo tempo que me agradava me dizia o quanto eu era inconstante. Talvez ele percebesse que tudo o que eu queria dele era sexo e tivesse decidido por instinto não se envolver comigo. E pensar que algumas noites antes eu tinha sentido um desejo tão forte de receber seu corpo no meu que quase pulei da cama para procurá-lo em seu quarto. Agora essa ideia jamais me excitaria. Talvez toda essa história com Oliver tenha sido uma rotina canicular da qual eu me livrara. Por outro lado, eu só precisava sentir o cheiro de Marzia em minha mão para amar toda mulher em cada mulher.

Eu sabia que aquilo não ia durar muito e que, como acontece com todos os viciados, era fácil para mim negar o vício imediatamente após uma pretensa solução.

Não levou nem uma hora para que Oliver surgisse em minha mente *au galop*. Imaginei que sentava na cama com ele e oferecia-lhe a palma da minha mão, então dizia *Sinta esse cheiro* e via-o cheirar a palma da minha mão, segurando-a com gentileza, depois colocando meu dedo médio em seus lábios e, de repente, dentro de sua boca.

Arranquei uma folha de um caderno.
Por favor, não me evite.
Então reescrevi:
Por favor, não me evite. Isso está me matando.
Que reescrevi:
Seu silêncio está me matando.
Muito exagerado. Seriam suas palavras exatas.
Não suporto pensar que você me odeia.
Muito choroso. Não, precisa ser menos lacrimoso, mas mantendo o discurso de morte.
Prefiro morrer a saber que você me odeia.
No último minuto, voltei ao original.
Não suporto o silêncio. Preciso falar com você.

Dobrei o pedaço de papel e passei por debaixo da porta dele com a apreensão resignada de César atravessando o Rubicão, sabendo que não tinha mais como voltar atrás. *Alea iacta est*, dissera ele, a sorte está lançada. Acho curioso o fato de que o verbo "lançar", *iacere* em latim, tem a mesma raiz do verbo "ejacular". Assim que pensei nisso entendi que queria levar a ele não apenas o cheiro dela nos meus dedos, mas, seca em minha mão, a marca do meu sêmen.

Quinze minutos depois fui tomado por duas emoções contrárias: arrependimento por ter enviado a mensagem e arrependimento por não haver nem uma gota de ironia nela.

No café da manhã, quando ele finalmente apareceu depois da corrida, tudo o que perguntou, sem levantar a cabeça, foi se eu tinha me divertido na noite anterior, sugerindo que eu tinha ido dormir muito tarde.

— *Insomma*, mais ou menos — respondi, tentando manter minha resposta o mais vaga possível, minha maneira de sugerir que estava minimizando um relato que, caso contrário, poderia se alongar demais.

— Deve estar cansado então. — Foi a contribuição irônica do meu pai à conversa. — Ou será que estava jogando pôquer?

— Não jogo pôquer.

Meu pai e Oliver trocaram olhares significativos. Então começaram a discutir o trabalho do dia. E eu o perdi. Mais um dia de tortura.

Quando voltei para o quarto para pegar meus livros, vi o mesmo pedaço de papel dobrado em cima da minha mesa. Ele deve ter entrado em meu quarto pela varanda e colocado o papel em um local onde eu pudesse ver. Se eu o lesse imediatamente, isso arruinaria meu dia. Mas se adiasse, o dia inteiro se tornaria insignificante, e eu não conseguiria pensar em mais nada. Muito provavelmente ele tinha devolvido sem acrescentar nada, como se dissesse *Encontrei isso no chão. Deve ser seu. Até depois.* Ou poderia ter um significado muito mais brusco: *Sem resposta.*

Vê se cresce. Vejo você à meia-noite.

Foi o que ele acrescentou embaixo das minhas palavras. Tinha deixado antes do café da manhã.

Essa percepção me ocorreu com alguns minutos de atraso, mas me encheu de ansiedade e desânimo imediatos. Eu queria isso, agora que me ofereciam? E estava de fato sendo oferecido? E se eu quisesse ou não quisesse, como sobreviver até a meia-noite? Mal tinha passado das dez da manhã: ainda faltavam quatorze horas... A última vez que esperei tanto tempo por alguma coisa foi pelo meu boletim. Ou em um sábado dois anos antes quando uma garota prometeu que me encontraria no cinema, e eu não tinha certeza se ela tinha esquecido. Metade de um dia assistindo à minha vida inteira ser colocada em espera. Como eu odiava esperar e depender do capricho dos outros.

Será que eu devia responder ao bilhete?

Não dá para responder uma resposta!

Quanto ao bilhete: o tom era intencionalmente leve, ou o objetivo era parecer um pensamento rabiscado minutos depois da corrida e segundos antes do café da manhã? Eu percebi a cutucada em meu sentimentalismo operístico seguida pelo confiante e básico *vejo você à meia-noite*. Seria um bom presságio? E qual ganharia, o golpe de ironia ou o animado vamos nos encontrar mais tarde e ver no que dá? Íamos conversar... só isso? Seria uma ordem ou um consentimento me encontrar em uma hora descrita em todo romance e toda peça? E onde nos veríamos à meia-noite? Ele encontraria um momento ao longo do dia para me dizer o local? Ou, consciente de que eu havia passado a noite inteira inquieto e de que a armadilha que separava nossos lados da varanda era totalmente artificial, ele imaginava que um de nós cruzaria a Linha Maginot como se fosse a coisa mais fácil do mundo?

E o que seria do nosso quase ritualístico passeio de bicicleta pela manhã? "Meia-noite" substituiria o passeio matinal? Ou seguiríamos como antes, como se nada tivesse mudado, a não ser pelo fato de que tínhamos um "meia-noite" pelo qual esperar? Quando o encontrar a partir de agora, devo dar um sorriso significativo ou seguir como antes, oferecendo, em vez disso, um olhar frio, vítreo e discreto?

 Ainda assim, a gratidão estava entre as muitas coisas que eu desejava mostrar a Oliver na próxima vez que nossos caminhos se cruzassem. É possível demonstrar gratidão e não ser considerado intrometido e incômodo. Ou será que a gratidão, por mais comedida que seja, sempre carrega aquela dose extra de mel que dá a qualquer paixão mediterrânea a inevitável característica sentimental e histriônica? Impossível deixar que as coisas sigam seu curso, minimizá-las, é preciso exclamar, proclamar, declamar.

 Se não disser nada ele vai pensar que você se arrependeu de ter escrito.

 Se disser qualquer coisa será exagerado.

 O que fazer, então?

 Esperar.

 Eu sabia disso desde o início. Só esperar. Trabalharia a manhã inteira. Nadaria. Talvez jogasse tênis à tarde. Encontraria Marzia. Voltaria à meia-noite. Não, onze e meia. Tomaria banho? Não, sem banho. Ah, ir de uma cama para a outra.

 Não era isso que ele também ia fazer? Ir de uma cama para a outra?

 Então um pânico terrível tomou conta de mim: meia-noite seria uma conversa, um esclarecimento... como quem diz se segura, alivia, vê se cresce!

 Mas por que esperar até a meia-noite, então? Quem escolhe a meia-noite para ter uma conversa dessa?

 Ou meia-noite seria *meia-noite*?

 Que roupa usar à meia-noite?

* * *

O dia passou como eu temia. Oliver encontrou uma maneira de sair sem falar comigo logo depois do café e não voltou até o almoço. Sentou no lugar de sempre ao meu lado. Tentei puxar papo algumas vezes, mas percebi que seria mais um daqueles dias em que não nos falávamos e os dois tentavam deixar bem claro que o silêncio não era mais só fingimento.

Depois do almoço, fui tirar um cochilo. Ouvi Oliver subir e fechar a porta.

Mais tarde, liguei para Marzia. Nos encontramos na quadra de tênis. Por sorte estava vazia e tranquila, então jogamos durante horas sob o sol escaldante, algo que nós dois amávamos. Às vezes, sentávamos no velho banco à sombra e ouvíamos os grilos. Mafalda nos trouxe refrescos e avisou que estava muito velha para aquilo, que na próxima vez teríamos que ir buscar o que quiséssemos.

— Mas não pedimos que você trouxesse nada — protestei.

— Então não deviam ter bebido — rebateu e saiu, depois de ter marcado seu ponto.

Vimini, que gostava de assistir às pessoas jogando, não apareceu naquele dia. Devia estar com Oliver no lugar preferido deles.

Eu amava o clima de agosto. A cidade ficava mais tranquila do que o normal nas últimas semanas do verão. Todos já tinham ido embora para *le vacanze*, e os turistas ocasionais costumavam sair de lá às sete da noite. O que eu mais amava eram as tardes: o cheiro de alecrim, o calor, os pássaros, as cigarras, o balanço das folhas das palmeiras, o silêncio que parecia um xale de linho leve sobre um dia absolutamente ensolarado, tudo isso realçado pela caminhada até a praia e a caminhada de volta para tomar uma ducha. Eu gostava de olhar para a nossa casa da quadra de tênis e ver as varandas vazias banhadas de sol, de saber que de qualquer uma delas dava para ver o oceano sem fim. Aquela era minha varanda, meu mundo. De onde eu estava sentado, podia olhar em volta e dizer Aqui é nossa quadra de tênis, lá nosso jardim, nosso pomar, nosso galpão, e lá nossa casa e embaixo nosso cais... todos e tudo que eu amo está aqui. Minha família, meus instrumentos, meus livros, Mafalda, Marzia, Oliver.

Naquela tarde, sentado com Marzia e com a mão pousada em sua coxa e seu joelho, me ocorreu que eu era, nas palavras de Oliver, uma das pessoas mais sortudas do mundo: não dava para saber o quanto aquilo tudo ia durar, assim como não havia sentido em tentar adivinhar como o dia acabaria, ou a noite. Cada minuto parecia se estender dolorosamente. Tudo podia acabar em um instante.

Mas, sentado ali, eu soube que estava experimentando a felicidade branda daqueles que são supersticiosos demais para declarar que talvez tenham tudo o que sempre sonharam, e gratos demais para não estarem cientes de que poderiam perder tudo em um piscar de olhos.

Depois do tênis e antes de ir à praia, levei Marzia até o meu quarto pela varanda. Ninguém passava por ali à tarde. Fechei a persiana, mas deixei as portas abertas, e a luz fraca da tarde desenhou padrões na cama, na parede, em Marzia. Fizemos amor no mais completo silêncio, nenhum dos dois fechou os olhos.

Parte de mim esperava que batêssemos na parede, ou que ela não conseguisse conter um grito, e que isso alertasse Oliver a respeito do que estava acontecendo do outro lado da parede de seu quarto. Imaginei-o dormindo e ouvindo o barulho da cama, e então ficando incomodado.

A caminho da enseada mais uma vez fiquei feliz ao sentir que não me importava se ele descobrisse sobre nós, assim como não me importava se ele não aparecesse à noite. Não me importava com ele nem com seus ombros nem com o branco de seus braços. A sola de seus pés, a palma de suas mãos, a parte inferior do seu corpo... eu não me importava. Preferia passar a noite com ela do que esperar acordado por ele e ouvi-lo declamar devoções insossas à meia-noite. O que eu estava pensando de manhã quando entreguei o bilhete?

Ainda assim, outra parte de mim sabia que se ele aparecesse à noite e eu não gostasse do início do que quer que estivesse guardado para mim, eu iria até o fim, porque é melhor descobrir de uma vez por todas do que passar o resto do verão, ou talvez da vida, brigando com meu próprio corpo.

Tomaria uma decisão a sangue-frio. E, se ele perguntasse, eu responderia. Não sei se quero ir em frente com isso, mas preciso saber, e melhor que seja com você do que com qualquer outro. Quero conhecer seu corpo, quero conhecer seus sentimentos, quero conhecer você e, através de você, conhecer a mim mesmo.

Marzia foi embora logo antes do jantar. Tinha prometido ir ao cinema. Com uns amigos, disse. Por que eu não ia também? Fiz uma careta ao ouvir os nomes dos amigos. Ficaria em casa para praticar, disse. Pensei que você praticasse de manhã. Hoje comecei tarde, lembra? Ela entendeu a mensagem nas entrelinhas e sorriu.

Faltavam três horas.

Um silêncio triste pairou entre nós por toda a tarde. Se ele não tivesse dado sua palavra de que conversaríamos, não sei como teria sobrevivido a mais um dia como aquele.

No jantar, os convidados eram um professor substituto de música e um casal gay de Chicago que insistia em falar um italiano terrível. Os dois homens sentaram lado a lado, de frente para minha mãe e para mim. Um deles decidiu recitar alguns versos de Pascoli, e Mafalda, ao ver minha cara, fez a *smorfia* de sempre para me fazer rir. Meu pai havia pedido que eu não me comportasse mal na presença dos acadêmicos de Chicago. Eu disse que usaria a camisa roxa que ganhei de um primo distante do Uruguai. Meu pai riu com certo deboche, dizendo que eu era muito velho para não aceitar as pessoas como elas eram. Mas vi um brilho em seus olhos quando os dois apareceram de camisa roxa. Os dois desceram do táxi ao mesmo tempo, cada um por um lado, e ambos seguravam ramalhetes de flores brancas. Pareciam, como meu pai deve ter percebido, uma versão florida e mais arrumadinha dos gêmeos Dupond e Dupont do Tintim.

Imaginei como seria a vida que levavam juntos.

Parecia estranho contar os minutos durante o jantar, encoberto pelo pensamento de que naquela noite eu tinha mais em comum com os Dupondt do que com meus pais ou qualquer outra pessoa do meu mundo.

Olhei para eles, me perguntando quem ficava por cima e quem ficava por baixo, Tweedledee ou Tweedledum.

Eram quase onze horas quando avisei que ia dormir e dei boa-noite aos meus pais e aos convidados.

— E a Marzia? — perguntou meu pai, com um brilho inconfundível nos olhos. Amanhã, respondi.

Eu queria ficar sozinho. Tomar banho. Ler um livro. Escrever no diário, talvez. Ficar concentrado na meia-noite e ao mesmo tempo me distrair de qualquer aspecto que a rondasse.

Enquanto subia as escadas, tentei me imaginar descendo aqueles mesmos degraus na manhã seguinte. Até lá eu podia ser outra pessoa. Eu gostava dessa outra pessoa que ainda não conhecia e que talvez não quisesse dizer bom-dia ou ter algo a ver comigo por eu ter causado tudo aquilo? Ou eu permaneceria exatamente a mesma pessoa que subia as escadas, sem nada de diferente, e nenhuma de minhas dúvidas solucionadas?

Ou talvez não acontecesse absolutamente nada. Ele poderia recusar e, ainda que ninguém descobrisse que eu tinha pedido, eu teria me humilhado a troco de nada. Ele saberia; eu saberia.

Mas eu já tinha passado do ponto da humilhação. Depois de semanas desejando e esperando e — vamos falar a verdade — implorando e sendo incentivado a esperar e lutar contra qualquer excesso de esperança, eu ficaria arrasado. Como dormir depois disso? Voltar para o quarto e fingir que abro um livro e leio até dormir?

Ou: como voltar a dormir não sendo mais virgem? Não tinha como voltar atrás! Aquilo que estava na minha cabeça havia tanto tempo agora estaria no mundo real, não flutuava mais em minhas ambiguidades sem fim. Eu me sentia como alguém entrando em um estúdio de tatuagem e dando uma última e longa olhada para o bíceps esquerdo em branco.

Será que eu devia ser pontual?

Seja pontual e diga: Uuuu, a hora da bruxa.

Logo ouvi a voz dos dois convidados na entrada. Estavam em pé lá fora, provavelmente esperando que o professor substituto os levasse de volta à pensão. O substituto estava demorando, e o casal ficou conversando, um deles ria.

À meia-noite não se ouvia nenhum barulho vindo do quarto dele. Será que eu havia levado mais um bolo? Isso seria demais. Não tinha escutado ele voltar, então era ele que deveria vir até o meu quarto. Ou eu devia ir até o dele mesmo assim? Esperar seria uma tortura.

Vou até ele.

Saí para a varanda por um segundo e olhei na direção do quarto dele. Nenhuma luz. Ia bater mesmo assim.

Ou eu podia esperar. Ou nem ir.

A ideia de não ir de repente era a coisa que eu mais queria na vida. Ficava me puxando, chamando minha atenção suavemente, como alguém que já tivesse sussurrado uma ou duas vezes enquanto eu dormia, mas, ao ver que eu não acordava, finalmente batesse no meu ombro, e no momento isso me incentivava a procurar por qualquer motivo para adiar a ida até o quarto de Oliver naquela noite. O pensamento me invadiu como a água na vitrine da floricultura, como uma loção calmante e refrescante que você passa depois do banho ao fim de um dia inteiro no sol, ainda amando o sol, mas amando mais o bálsamo. Como uma loção entorpecente, o pensamento passa primeiro pelas suas extremidades e depois penetra no restante do corpo. Dando todo tipo de argumento, a favor, contra, a começar pelos bobos — é muito tarde para fazer qualquer coisa — até chegar nos mais importantes — como você vai encarar os outros, como vai encarar a si mesmo?

Por que eu não tinha pensado nisso antes? Porque queria saborear e guardar para o final? Seria pela vontade de que os argumentos surgissem por conta própria, sem que eu tivesse que reuni-los e assim não fossem minha culpa? Não tente, não tente isso, Elio. Era a voz do meu avô. Eu recebera o nome dele, e meu avô estava falando comigo da mesma cama na qual tinha atravessado uma divisa muito mais ameaçadora do que a que existia entre meu quarto e o de Oliver. Volte. Quem sabe o que você vai encontrar naquele quarto? Não o tônico da descoberta, mas a mortalha do desespero quando o desencanto tiver tomado cada nervo de seu corpo. Os anos estão olhando para você agora, cada estrela que você vê hoje já conhece seu tormento, seus ancestrais estão reunidos aqui e não têm nada a oferecer ou dizer, *Non c'andà,* não vá até lá.

Mas eu amava o medo — se era realmente medo —, e isso meus ancestrais não sabiam. Era o lado subjacente do medo que eu amava, como a lã mais macia encontrada na barriga da ovelha mais áspera. Eu amava a ousadia que me impulsionava, me excitava, porque eu tinha nascido da excitação. "Você vai me matar se parar"... ou seria: "Vou morrer se você parar." Cada vez que eu ouvia essas palavras, não conseguia resistir.

Bati no vidro, devagar. Meu coração batia enlouquecidamente. Não tenho medo de nada, então por que temer? Por quê? Porque tudo me assusta, porque tanto o medo quanto o desejo estão ocupados enganando um ao outro e a mim, não sei nem diferenciar o desejo de que ele abra a porta da esperança do desejo de que ele me dê um bolo.

Mas, imediatamente após bater no vidro, ouvi algo lá dentro, como alguém procurando os chinelos. Então percebi uma luz fraca se acender. Lembro de ter comprado o abajur em Oxford com meu pai certa noite no início da primavera anterior, porque o quarto do hotel era muito escuro. Meu pai tinha descido e voltado dizendo que havia uma loja vinte e quatro horas que vendia abajures virando a esquina. Espere aqui, eu já volto. Mas eu disse que ia com ele. Coloquei o casaco por cima do mesmo pijama que estava usando naquela noite.

— Que bom que você veio — disse ele. — Ouvi a movimentação no seu quarto e por um instante pensei que você estava se arrumando para dormir e tinha mudado de ideia.

— É claro que eu vinha.

Era estranho vê-lo agitado daquela maneira. Eu esperava uma chuva de pequenas ironias, por isso estava nervoso. Em vez disso, fui recebido com explicações, como alguém que se desculpa por não ter tido tempo de comprar biscoitos melhores para o chá da tarde.

Entrei no meu antigo quarto e fui imediatamente pego de surpresa por um cheiro que não conseguia identificar, porque podia ser a combinação de tantas coisas, até que percebi a toalha enrolada enfiada debaixo da porta. Ele estava sentado na cama, um cinzeiro meio vazio em cima do travesseiro direito.

— Entre — disse ele, e fechou a porta da varanda.

Eu devia estar parado ali, sem vida e congelado.

Nós dois sussurrávamos. Bom sinal.

— Não sabia que você fumava.

— Às vezes.

Ele voltou para a cama e sentou bem no meio.

— Estou nervoso — resmunguei. Não sabia o que fazer ou dizer.

— Eu também.

— Eu mais que você.

Ele tentou sorrir para disfarçar a estranheza entre nós e me passou o baseado.

Aquilo me deu algo para fazer.

Lembrei de como quase o abracei na varanda, mas me segurei a tempo pensando que um abraço depois de momentos tão frios entre nós o dia todo não era adequado. Só porque alguém diz que vai ver você à meia-noite não quer dizer que você deva automaticamente abraçá-lo, uma vez que se cumprimentaram dando as mãos a semana toda. Lembrei de ter pensado antes de bater: Abraçar. Não abraçar. Abraçar.

Agora eu estava dentro do quarto.

Ele estava sentado na cama, pernas cruzadas. Parecia menor, mais jovem, eu estava ao pé da cama, desajeitado, sem saber o que fazer com as mãos. Ele deve ter percebido minha dificuldade quando as coloquei no quadril, depois no bolso, e no quadril de novo.

Estou parecendo ridículo, pensei. Aquilo e o quase abraço que contive e que esperava que ele não tivesse percebido.

Eu me sentia uma criança que estava sozinha pela primeira vez com o professor na sala de aula.

— Venha, sente.

Ele estava se referindo à cadeira ou à cama?

Sem saber o que fazer, me abaixei e sentei de frente para ele, pernas cruzadas também, como se fosse o protocolo aceito entre homens que se encontravam à meia-noite. Eu me certifiquei de que nossos joelhos não se tocassem. Porque ele se incomodaria se isso acontecesse, e se incomodaria com o abraço, como se incomodou quando, em busca de uma maneira mais clara de demonstrar que eu queria ficar um pouco mais no penhasco, coloquei minha mão em sua genitália.

Mas, antes que eu tivesse a chance de exagerar a distância entre nós, me senti como se tivesse sido lavado pela água que desce a vitrine da floricultura, como se ela removesse toda a minha vergonha e todas as minhas inibições. Nervoso ou não, eu não queria mais examinar minuciosamente cada um de meus impulsos. Se eu for burro, que eu seja burro. Se tocar seu joelho, que toque seu joelho. Se quiser abraçar, vou abraçar. Eu precisava me apoiar em alguma coisa, então me arrastei até a cabeceira e me encostei ao lado dele.

    Olhei para a cama. Eu via claramente agora. Era ali que passaria tantas noites sonhando com aquele momento. Aqui estava eu. Em algumas semanas, estaria de volta à mesma cama. Acenderia o abajur de Oxford e me lembraria de ter ficado na varanda ouvindo o barulho de seus pés procurando pelos chinelos. Fiquei me perguntando se a lembrança traria tristeza. Ou vergonha. Ou indiferença, era o que eu esperava.

    — Tudo bem? — perguntou ele.

    — Tudo bem.

    Não havia absolutamente nada a dizer. Aproximei meus dedos dos pés dos dele e os toquei. Então, sem pensar, enfiei meu dedão entre o dedão e o segundo dedo dele. Ele não recuou, não reagiu. Eu queria tocar cada dedo dele com o meu. Como estava sentado à sua esquerda, aqueles provavelmente não eram os dedos que tinham me tocado no almoço naquele dia. Era o pé direito dele o culpado. Tentei alcançá-lo com meu pé direito, tentando não tocar seus joelhos, como se algo me dissesse que eles estavam fora dos limites.

    — O que você está fazendo? — indagou ele.

    — Nada.

    Eu não sabia, mas seu corpo começou gradualmente a retribuir o movimento, um tanto distraído, sem convicção, não menos estranho que o meu, como se dissesse O que mais podemos fazer a não ser responder da mesma forma quando alguém toca nossos dedos dos pés com seus dedos dos pés?

Depois disso, me aproximei e, em seguida, o abracei. Um abraço de criança que eu esperava que ele entendesse como uma aceitação. Ele não respondeu.

— É um começo — disse finalmente, talvez com um pouco mais de humor na voz do que desejava.

Em vez de falar, dei de ombros, esperando que ele entendesse o gesto e não fizesse mais perguntas. Eu não queria que falássemos. Quanto menos falássemos, mais livres nossos movimentos seriam. Gostei de abraçá-lo.

— Isso deixa você feliz? — perguntou ele.

Assenti, esperando, mais uma vez, que ele sentiria o gesto sem que eu precisasse responder com palavras.

Enfim, como se minha posição o persuadisse a imitá-la, ele me abraçou também. Não foi um abraço carinhoso nem forte. A última coisa que eu queria naquele momento era camaradagem. Por isso, sem interromper o abraço, soltei um pouco os braços, tempo suficiente para colocar as duas mãos embaixo da camisa dele e retomar a força. Eu queria sua pele.

— Você tem certeza de que é isso que você quer? — perguntou Oliver, como se essa dúvida tivesse sido o motivo de sua hesitação durante todo aquele tempo.

Assenti mais uma vez. Estava mentindo. Naquele momento, eu não tinha certeza de nada. Eu me perguntava quando aquele abraço chegaria ao fim, quem, eu ou ele, cansaria daquela posição. Em breve? Depois? Agora?

— Nós não conversamos — disse ele.

Dei de ombros, querendo dizer Não precisa.

Ele levantou meu rosto com as mãos e me encarou como naquele dia no penhasco, desta vez com ainda mais intensidade, porque nós dois sabíamos que já não havia mais volta.

— Posso beijar você?
Que pergunta, depois daquele beijo no penhasco! Ou já tínhamos virado a página e estávamos começando tudo de novo?
Não respondi. Sem assentir, eu já estava com os lábios nos dele, exatamente como tinha beijado Marzia na noite anterior. Algo inesperado pareceu acabar com a distância entre nós, e parecia não haver mais nenhuma diferença de idade, éramos apenas dois homens se beijando, e até isso pareceu se dissolver, me deixando com a sensação de que nem éramos dois homens, apenas dois seres. Amei o igualitarismo do momento. Amei me sentir jovem e velho, de humano a humano, de homem a homem, de judeu a judeu. Amei a luz do abajur. Dava uma sensação de conforto e segurança. Como naquela noite no quarto de hotel em Oxford. Amei até mesmo aquele quarto sem graça, cheio de coisas dele, e que de alguma forma parecia mais habitável sob sua administração do que tinha sido sob a minha: uma foto aqui, uma cadeira transformada em mesinha de canto, livros, cartões, música.
Decidi entrar embaixo das cobertas. Amei o cheiro. Quis amar o cheiro. Gostei até do fato de ter coisas que não haviam sido tiradas de cima da cama, e não me incomodou ficar batendo o joelho nelas e enfiando o pé embaixo delas, porque eram parte da sua cama, da sua vida, do seu mundo.
Ele também entrou embaixo das cobertas e, antes que eu pudesse me dar conta, começou a tirar minha roupa. Eu tinha ficado preocupado, pensando em como ia ficar nu, em como, caso ele não ajudasse, ia fazer o que tantas garotas fazem nos filmes, tirar a camiseta, abaixar a calça e ficar ali, pelado, os braços ao lado do corpo, como quem diz: Aqui

estou eu, sou assim, venha, me tome, sou seu. Mas ele tinha resolvido o problema.

— Isso sai, e isso sai, e isso sai, e isso sai... — sussurrou ele.

Aquilo me fez rir e, de repente, eu estava totalmente nu, sentindo o peso do lençol no meu pau, e não havia mais nenhum segredo no mundo, porque o desejo de estar na cama com ele era meu único segredo, e agora estava compartilhando a cama com ele. Como era maravilhoso sentir suas mãos por todo o meu corpo embaixo dos lençóis, parecia que parte de nós, como um grupo adiantado de exploradores, já tinha chegado à intimidade, enquanto o restante, exposto do lado de fora dos lençóis, ainda estivesse lidando com minúcias, como os retardatários batendo os pés no frio enquanto todos já estão se aquecendo do lado de dentro da boate lotada. Ele ainda estava vestido, e eu, não mais. Amei ficar nu diante dele. Então ele me beijou, e me beijou de novo, mais profundamente na segunda vez, como se também estivesse por fim se libertando. Em algum momento percebi que ele já estava nu havia um tempo, embora não tenha percebido quando tirou a roupa, mas ali estava ele, nenhuma parte do seu corpo não me tocava. Onde eu havia estado? Tinha pensado em fazer a pergunta delicada, mas ela também já parecia ter sido respondida havia um tempo, porque quando finalmente tive coragem de perguntar, ele respondeu:

— Eu já disse, estou bem.
— Eu disse que também estava bem?
— Sim.

Ele sorriu. Desviei o olhar, porque ele estava me encarando, e eu sabia que estava vermelho, e sabia que faria uma careta, embora quisesse que ele continuasse me encarando mesmo que aquilo me deixasse envergonhado, e queria continuar a encará-lo quando assumimos a posição que simulava uma luta livre, seus ombros roçando meus joelhos. Como tínhamos avançado desde aquela tarde em que tirei minha cueca e coloquei seu calção de banho e pensei que aquilo seria o mais perto que seu corpo chegaria do meu. Agora isso. Eu estava na cúspide de algo, mas também queria que durasse para sempre, porque sabia que a partir dali não havia mais volta. Quando aconteceu, aconteceu não como eu sonhei, mas com um grau de desconforto que me obrigou a revelar mais de mim do que eu gostaria. Tive um impulso de interrompê-lo e, quando ele percebeu, perguntou, mas eu não respondi, ou não sabia o que responder, e uma eternidade pareceu passar entre minha relutância em relação a tomar aquela decisão e o impulso dele de decidir por mim. Deste momento em diante, pensei, deste momento em diante... tive, como nunca antes, a nítida sensação de ter chegado a um lugar muito estimado, de querer aquilo para sempre, de ser eu, eu, eu, eu e mais ninguém, só eu, de encontrar em cada arrepio que percorria meus braços algo completamente novo, mas nada estranho, como se aquilo fizesse parte de mim a vida inteira, algo que eu tivesse perdido e ele tivesse me ajudado a encontrar. O sonho estava certo... era como voltar para casa, como perguntar Onde eu estive todo esse tempo? Que era outro jeito de perguntar Onde você estava durante minha infância, Oliver? Que era ainda outro jeito de perguntar O que é a vida sem isso? Motivo pelo qual, no fim das contas, fui eu, e não ele, que deixou escapar, não uma, mas muitas, muitas vezes Você vai me matar se parar, você vai me matar se parar, porque também era meu jeito de unir o sonho e a fantasia, eu e ele, as palavras tão esperadas

de sua boca para a minha boca e de volta para a dele, trocando palavras de boca em boca, que foi quando devo ter começado a proferir obscenidades que ele repetia depois de mim, baixinho no início, até que disse:
— Me chame pelo seu nome e eu vou chamar você pelo meu.
Era algo que eu nunca tinha feito na vida e, assim que disse meu próprio nome como se fosse dele, fui levado a um domínio que nunca tinha compartilhado com ninguém, e que não compartilhei desde então.

Será que fizemos barulho?
Ele sorriu. Nada com o que se preocupar.
Acho que devo até ter chorado, mas não tinha certeza. Ele pegou a camisa e me limpou. Mafalda sempre procurava os sinais. Não vai encontrar nenhum, disse ele. Chamei sua camisa de "esvoaçante", você usou no primeiro dia, tem mais de você do que de mim. Duvido, disse ele. Oliver ainda não tinha me soltado, mas enquanto nossos corpos se separavam, acho que me lembrei, embora vagamente, de que minutos antes eu tinha empurrado um livro que foi parar nas minhas costas enquanto ele ainda estava dentro de mim. Agora estava no chão. Quando foi que percebi que era um exemplar de *Se l'amore*? Como tive tempo, no calor da paixão, de me perguntar se ele tinha ido à festa na mesma noite que estive na livraria com Marzia? Pensamentos estranhos que pareciam vir de um tempo distante, apesar de não ter passado mais de meia hora.

Devo ter lembrado um tempo depois, quando ainda estava em seus braços. A lembrança me acordou antes mesmo que eu percebesse que tinha cochilado, causando uma sensação de pavor e ansiedade que eu nem conseguia compreender completamente.

    Eu me senti enjoado, como se precisasse não só de vários banhos para lavar tudo aquilo, mas mergulhar em enxaguante bucal. Eu precisava ir para longe — dele, daquele quarto, do que tínhamos feito juntos. Era como se eu estivesse despertando devagar de um pesadelo horrível, mas ainda não estivesse acordado e não tivesse certeza de que queria isso, porque o que me esperava não seria muito melhor, embora eu soubesse que não deveria me prender àquele pesadelo gigante e amorfo que parecia a maior nuvem de autoaversão e arrependimento que já tinha pairado sobre a minha vida. Eu nunca mais seria o mesmo. Como eu tinha permitido que ele fizesse aquelas coisas comigo, e eu tinha participado delas com tanta vontade, e as incentivado, esperado por ele, implorando, Por favor, não pare. Agora a gosma dele estava presa em meu peito como prova de que eu tinha cruzado um limite terrível, não em relação a tudo que me era mais caro, nem em relação a mim mesmo, ou a algo sagrado, ou à própria corrida que tinha nos aproximado tanto, nem mesmo em relação à Marzia, que agora parecia uma sirene distante em um recife afundando, distante e irrelevante, lavada por ondas frequentes, enquanto eu tentava nadar até ela, clamando em um redemoinho de ansiedade na esperança de que ela fosse parte de uma coleção de imagens que ajudaria a me reconstituir ao amanhecer. Não foram esses que eu ofendi, mas os que ainda não eram nascidos ou eu ainda não tinha conhecido e a quem eu nunca seria capaz de amar sem me lembrar da vergonha e da repulsa se amontoando na minha vida e na deles. Isso assombraria e macularia meu amor por eles, e entre nós haveria esse segredo capaz de manchar tudo o que há de bom em mim.

Ou será que eu teria ofendido algo ainda mais profundo? O quê?

Ou a aversão que eu sentia sempre esteve ali, embora camuflada, esperando apenas por algo assim para se libertar?

Algo que beirava a náusea, algo como o remorso — o que era, então? — começou a me agarrar e parecia ficar mais nítido quanto mais eu tomava consciência da luz do dia que começava a entrar pelas janelas.

Como a luz, no entanto, o remorso, se é que era remorso, pareceu desaparecer por um instante. Mas quando eu me deitava na cama e me sentia desconfortável, voltava em dobro, como se marcasse um ponto cada vez que eu achava que tinha sentido pela última vez. Eu sabia que ia doer. O que eu não esperava era que a dor se retorceria em golpes repentinos de remorso. Ninguém tinha me contado sobre isso.

Lá fora estava amanhecendo.

Ele estava olhando para mim? Teria adivinhado o que eu estava sentindo?

— Você não está feliz — disse ele.

Dei de ombros.

Não era ele que eu odiava — mas o que tínhamos feito. Não queria que ele olhasse dentro do meu coração ainda. Em vez disso, queria sair daquele pântano de autoaversão e não sabia como.

— Está se sentindo enjoado, não está?

Mais uma vez dei de ombros.

— Eu sabia que não devíamos fazer isso. Eu sabia — repetiu ele. Pela primeira vez na vida o vi balbuciar, ser tomado pela dúvida. — Devíamos ter conversado.

— Talvez — falei.

De todas as coisas que eu poderia ter dito naquela manhã o insignificante "talvez" era a mais cruel.

— Você odiou?

Não, eu não tinha odiado mesmo. Mas o que sentia era pior que ódio. Eu não queria lembrar, não queria pensar naquilo. Só queria deixar de lado. Nunca aconteceu. Tentei e não deu certo para mim, agora eu queria meu dinheiro de volta, rebobine o filme, me leve de volta ao momento em que estava quase saindo descalço para a varanda, não vou dar mais nem um passo, vou sentar, cismar e nunca vou saber... melhor discutir com meu corpo do que sentir o que estava sentindo agora. *Elio, Elio, nós avisamos, não avisamos?*

Aqui estava eu em sua cama, sem me mexer por conta de um senso exagerado de educação.

— Você pode ir dormir, se quiser — disse ele, talvez as palavras mais gentis que já me disse, com a mão no meu ombro, enquanto eu, como Judas, dizia a mim mesmo, Se ele soubesse. Se soubesse que eu queria estar a léguas e a uma vida de distância dele.

Dei-lhe um abraço. Fechei os olhos.

— Você está olhando para mim — falei, com os olhos ainda fechados.

Eu gostava que olhassem para mim enquanto eu estava de olhos fechados.

Precisava que ele ficasse o mais distante possível para ter chance de me sentir melhor e esquecer — mas precisava dele por perto caso as coisas ficassem ainda piores e eu não tivesse com quem contar.

Enquanto isso, outra parte de mim na verdade estava feliz por aquilo ter acabado. Estava superado. Eu pagaria o preço. As questões eram: Ele entenderia? Ele me perdoaria?

Ou seria mais um truque para impedir outro acesso de aversão e vergonha?

De manhã cedinho, fomos nadar juntos. Pareceu ser a última vez que estaríamos juntos dessa forma. Eu voltaria para o meu quarto, dormiria, acordaria, tomaria café, pegaria o caderno e passaria as horas maravilhosas da manhã imerso transcrevendo Haydn, sentindo de vez em quando uma pontada de ansiedade que antecipava o desprezo renovado a cada manhã, até lembrar que já tínhamos passado daquele estágio, que ele tinha estado dentro de mim algumas horas antes e que depois havia gozado em meu peito, porque disse que queria, e eu deixei, talvez porque eu ainda não tivesse gozado e me excitava a ideia de ver suas expressões e chegar ao auge bem diante dos meus olhos.

Ele estava andando no mar, com a água quase na altura do joelho, ainda de camisa. Eu sabia o que ele estava fazendo. Se Mafalda perguntasse, ele diria que tinha molhado por acidente.

Juntos, nadamos até a pedra grande. Conversamos. Eu queria que ele achasse que eu estava feliz por estar com ele. Queria que o mar lavasse a gosma do meu peito, mas ali estava seu sêmen, agarrado ao meu corpo. Em pouco tempo, com água e sabão, todas as minhas dúvidas sobre mim mesmo, que haviam começado três anos antes quando um jovem desconhecido parou a bicicleta, desceu, colocou a mão no meu ombro e, com aquele gesto agitou ou apressou algo que talvez levasse muito, muito mais tempo para chegar à consciência — tudo isso poderia finalmente ser lavado também, descartado como um boato maldoso sobre mim, ou uma falsa crença, liberto como um gênio que, após cumprir sua sentença, agora se lavava com o aroma suave e radiante do sabonete de camomila encontrado em um dos banheiros da nossa casa.

Sentamos em uma das pedras e conversamos. Por que não tínhamos conversado assim antes? Eu não teria me desesperado tanto por ele se tivéssemos esse tipo de amizade semanas antes. Talvez tivéssemos evitado dormir juntos. Eu queria contar a ele que tinha transado com Marzia a menos de duzentos metros de onde estávamos agora. Mas não contei. Em vez disso, falamos sobre "Está consumado", de Haydn, que eu tinha acabado de transcrever. Eu podia falar sobre aquilo sem sentir que o fazia para impressioná-lo, chamar sua atenção ou estabelecer uma conexão frouxa entre nós. Eu podia falar sobre Haydn durante horas... que amizade encantadora poderia ter sido.

Enquanto lidava com a sensação inebriante de ter superado o que sentia por ele e até um pouco de decepção por ter me recuperado com tanta facilidade depois de um feitiço que durou semanas, nunca me ocorreu que aquele desejo de sentar e discutir Haydn de maneira tão estranhamente relaxada como estávamos fazendo era meu ponto mais vulnerável, que se o desejo tivesse que vir à tona, poderia muito bem ser por meio dessa abertura, que eu sempre considerei que fosse a mais segura, como a visão do seu corpo quase nu à beira da piscina.

Em algum momento ele me interrompeu.

— Tudo bem?

— Tudo bem. Tudo bem — respondi.

Então, com um sorriso sem jeito, como se estivesse corrigindo a pergunta inicial, disse:

— Tudo bem em todos os lugares?

Retribuí com um sorriso forçado, sabendo que já estava me fechando, fechando as portas e janelas entre nós, apagando as velas porque o sol tinha finalmente aparecido de novo e a vergonha lança sombras largas.

— Quero dizer...

— Eu sei o que você quer dizer. Dolorido.

— Mas você se incomodou quando eu ...?

Virei para o outro lado, como se uma corrente de ar gelado tivesse tocado minha orelha e eu tentasse evitar que atingisse meu rosto.

— Precisamos falar sobre isso?

— Não, não se você não quiser.

Eu usei as mesmas palavras que Marzia proferiu quando eu quis saber se ela havia gostado do que eu tinha feito com ela.

Eu sabia exatamente sobre o que ele queria falar. Queria conversar sobre o momento em que eu quase pedi a ele que parasse.

Agora tudo o que eu pensava, enquanto conversávamos, era que mais tarde eu estaria caminhando com Marzia e sempre que tentássemos nos sentar em algum lugar ia doer. Quanta indignidade. Sentar na muralha da cidade — onde todos que tinham a nossa idade se juntavam à noite quando não estavam nos *caffès* — e ser obrigado a me contorcer e me lembrar a cada momento do que eu tinha feito naquela noite. A piada frequente entre os garotos. Encarar Oliver vendo eu me contorcer e pensar, É culpa minha, não é?

Desejei que não tivéssemos dormido juntos. Até seu corpo me deixava indiferente. Na pedra onde estávamos sentados, olhei para seu corpo como alguém que olha para camisas e calças velhas separadas para doação.

Ombro: Ok.

Área entre o cotovelo interno e o externo, que um dia venerei: Ok.

Genitália: Ok.

Pescoço: Ok.

Curvas do damasco: Ok.

Pé — ah, aquele pé: mas, sim, Ok.

Sorriso, quando ele perguntou Tudo bem em todos os lugares: sim, ok também. Melhor não arriscar.

Amei todas essas coisas. Toquei-as como um gambá que se esfrega nos objetos que cobiça. Todas foram minhas por uma noite. Não as queria agora. O que não conseguia lembrar, menos ainda entender, era o que tinha me levado a desejá-las, a fazer tudo o que tinha feito para estar perto delas, tocá-las, dormir com elas. Depois de nadarmos, tomaria o banho tão esperado. Esqueça, esqueça.

Enquanto voltávamos nadando, ele perguntou como se fosse um pensamento tardio:

— Você vai me culpar pela noite passada?

— Não — respondi.

Mas respondi muito rápido para alguém que estivesse falando a verdade. Para amenizar a ambiguidade do meu não, disse que provavelmente ia querer dormir o dia todo.

— Acho que não vou conseguir andar de bicicleta hoje.

— Porque... — ele não estava fazendo uma pergunta, estava oferecendo a resposta.

— Sim, porque.

Ocorreu-me que um dos motivos que me fez decidir não me distanciar dele muito rapidamente não era para não ferir seus sentimentos, deixá-lo preocupado ou causar uma situação estranha e incômoda em casa, mas porque eu não tinha certeza de que em algumas horas não o desejaria outra vez.

Quando chegamos à varanda, ele hesitou à porta e entrou no meu quarto. Aquilo me pegou de surpresa.

— Tire o calção.

A situação parecia estranha, mas não fui capaz de desobedecer. Então abaixei e tirei o calção. Era a primeira vez que ficava nu diante dele em plena luz do dia. Aquilo me fez sentir estranho e estava começando a ficar nervoso.

— Sente.

Eu mal tinha obedecido à ordem quando ele se abaixou e colocou meu pau inteiro na boca. Fiquei duro na hora.

— Vamos guardar para depois — disse ele com um sorriso irônico e foi embora.

Seria sua vingança contra mim por imaginar que o tinha superado?

Então lá se foram... minha autoconfiança, minha lista e meu desejo de superá-lo. Belo trabalho. Eu me sequei, coloquei o short do pijama que tinha usado na noite anterior, me joguei na cama e não acordei até Mafalda bater à minha porta perguntando se eu queria ovos no café da manhã.

A mesma boca que ia comer ovos esteve por toda parte na noite anterior.

Como se estivesse de ressaca, fiquei me perguntando quando o enjoo ia passar.

De vez em quando, uma dor repentina desencadeava uma pontada de vergonha. Quem quer que tenha dito que a alma e o corpo se encontram na glândula pineal era um tolo. Eles se encontram no cu, idiota.

Quando ele desceu para o café da manhã, estava usando meu calção de banho. Não chamaria a atenção de ninguém na casa, porque todos sempre trocavam roupas de banho, mas foi a primeira vez que ele fez isso, e era o mesmo calção que eu tinha usado ao amanhecer quando fomos nadar. Vê-lo usando minhas roupas me deu um tesão insuportável. E ele sabia disso. Nós dois ficamos excitados. Pensar em seu pau roçando o forro onde o meu tinha estado me lembrava de como, diante dos meus olhos e depois de tanto esforço, ele finalmente gozou sobre meu peito. Mas não era isso que me deixava excitado. Era a porosidade, a fungibilidade de nossos corpos... o que era meu de repente era dele, assim como o que pertencia a ele podia ser meu agora. Eu estava sendo atraído de volta? À mesa, ele decidiu sentar ao meu lado e, quando ninguém estava olhando, colocou o pé não em cima, mas embaixo do meu. Eu sabia que meu pé era áspero por andar sempre descalço; o dele era macio; na noite anterior eu tinha beijado seu pé e chupado seus dedos; e agora eles estavam aconchegados sob meu pé calejado, e eu precisava proteger meu protetor.

Ele não permitiria que eu o esquecesse. Lembrei de uma castelã casada que, após passar a noite com um jovem vassalo, mandou que os guardas do palácio o levassem e o executassem imediatamente em um calabouço sob acusações falsas, não só para eliminar qualquer prova da noite adúltera que tinham passado juntos ou para impedir que o jovem amante se tornasse um estorvo agora que achava que tinha direito a seus favores, mas para eliminar qualquer tentação de repetir a transgressão na noite seguinte. Ele estava virando um estorvo vindo atrás de mim? E o que eu poderia fazer... contar à minha mãe?

Naquela manhã ele foi à cidade sozinho. Correio, Signora Milani, as coisas de sempre. Vi Oliver pedalar pela alameda ladeada de ciprestes ainda usando meu calção. Ninguém nunca tinha usado minhas roupas. Talvez os significados físicos e metafóricos sejam modos tortuosos de entender o que acontece quando dois seres precisam não só estar juntos, mas ser tão flexíveis a ponto de um se tornar o outro. Ser quem eu sou por sua causa. Ser quem ele era por minha causa. Estar em sua boca enquanto ele estivesse na minha e não saber mais de quem era o pau, dele ou meu, que estava em minha boca. Ele era meu canal secreto para mim mesmo... como um catalisador que permite que nos tornemos quem somos, o corpo estranho, o condutor, o enxerto, o curativo que desencadeia os impulsos certos, o pino de aço que mantém o osso de um soldado no lugar, o coração de outro homem que faz com que sejamos mais nós mesmos do que éramos antes do transplante.

Só de pensar nisso de repente quis deixar tudo o que faria naquele dia e correr para ele. Esperei cerca de dez minutos, então peguei a bicicleta e, apesar da promessa de não pedalar naquele dia, saí passando pela casa de Marzia e subi a encosta íngreme o mais rápido que pude. Quando cheguei à *piazzetta*, percebi que poucos minutos nos separavam. Ele estava estacionando a bicicleta, já tinha comprado o *Herald Tribune* e estava a caminho do correio: sua primeira tarefa.

— Eu precisava ver você — falei correndo até ele.
— Por quê? Aconteceu alguma coisa?
— Eu só precisava ver você.
— Você não está enjoado de mim?

Eu achava que sim, estava prestes a responder isso, e queria estar...

— Eu só queria ficar com você — respondi. Então acrescentei: — Se você quiser, eu volto agora mesmo.

Ele ficou parado, baixou a mão ainda segurando o maço de cartas não enviadas e ficou ali olhando para mim, balançando a cabeça.

— Você faz ideia do quanto estou feliz por termos passado a noite juntos?

Dei de ombros como que afastando outro elogio. Eu não era digno de elogios, principalmente se viessem dele.

— Não sei.

— É a sua cara não saber. Não quero me arrepender de nada... incluindo aquilo que você não permitiu que eu falasse hoje de manhã. Mas me assusta pensar que eu possa ter perturbado você. Não quero que nenhum de nós dois tenha que pagar de um jeito ou de outro.

Eu sabia exatamente a que ele estava se referindo, mas fingi não saber.

— Não vou contar a ninguém. Não vamos ter problemas.

— Não estou falando *disso*. Mas tenho certeza de que pagarei de alguma forma... — E pela primeira vez à luz do dia vi um Oliver diferente. — Para você, qualquer que seja seu pensamento, ainda é tudo diversão, e deve ser. Para mim é outra coisa que ainda não compreendi totalmente, e o fato de não conseguir me assusta.

— Você queria que eu não tivesse vindo?

Minha tolice era intencional?

— Eu o abraçaria e beijaria se pudesse.

— Eu também.

Eu me aproximei de seu ouvido quando ele estava prestes a entrar no correio e sussurrei:

— Me come, Elio.

Ele lembrou e imediatamente gemeu o próprio nome três vezes, como fizemos durante aquela noite. Eu sentia que já estava ficando duro. Então, para provocá-lo com as exatas palavras que ele tinha usado naquela manhã, falei:

— Vamos guardar para depois.

Então disse que *Até depois!* sempre me faria pensar nele. Ele sorriu e disse:

— *Até depois!*

O significado era exatamente o que eu queria que tivesse: não só tchau ou vá embora, mas fazer amor logo mais. Virei e de repente estava na bicicleta, descendo o caminho de volta às pressas, com um sorriso largo, quase cantando se soubesse cantar.

Nunca na vida estive tão feliz. Nada podia dar errado, tudo ia acontecer como eu queria, todas as portas estavam se abrindo uma a uma, e a vida não podia ser mais radiante: estava brilhando sobre mim, e quando eu virava a bicicleta para a esquerda ou para a direita ou tentava me afastar de sua luz, ela me seguia como se eu fosse um ator no palco. Eu o desejava, mas também podia viver sem ele, e qualquer um dos dois estava bom.

No caminho de volta, decidi parar na casa da Marzia. Ela estava indo à praia. Descemos para as pedras juntos e nos deitamos ao sol. Eu amava seu cheiro, amava sua boca. Ela tirou a parte de cima do biquíni e pediu que eu passasse protetor em suas costas, sabendo que minhas mãos inevitavelmente tocariam seus peitos. A família dela tinha uma cabana de palha na praia, e ela disse que devíamos entrar lá. Ninguém ia usar. Tranquei a porta por dentro, sentei-a na mesa, tirei seu biquíni e coloquei minha boca onde ela tinha o cheiro do mar. Ela jogou o corpo para trás e levantou as duas pernas sobre meus ombros. Que estranho, pensei, que eles se sobrepusessem, sem que um excluísse o outro. Nem meia hora antes eu estava pedindo ao Oliver que me comesse e agora estava prestes a fazer amor com Marzia, mas nenhum deles tinha nada a ver com o outro a não ser os dois Elios que eu era e sempre seria.

Depois do almoço, Oliver disse que tinha que voltar a B. para levar as últimas correções à Signora Milani. Olhou por um instante em minha direção, mas, ao ver que eu não respondia, saiu imediatamente.

Depois de duas taças de vinho, eu não via a hora de tirar um cochilo. Peguei dois pêssegos enormes da mesa e levei-os comigo, beijando minha mãe ao sair da mesa. Comeria depois, disse. No quarto escuro, coloquei as frutas na mesinha de mármore. Então tirei toda a roupa. Lençóis limpos, frescos, engomados e quarados estavam esticados sobre minha cama... Deus a abençoe, Mafalda. Eu queria ficar sozinho? Sim. Uma pessoa na noite passada; e de novo ao amanhecer. De manhã, outra. Agora eu estava deitado nos lençóis tão feliz quanto um girassol recém-brotado e firme, cheio de vigor na tarde de verão mais ensolarada. Eu estava feliz por estar sozinho agora que estava prestes a dormir? Sim. Bom, não. Sim. Mas talvez não. Sim, sim, sim. Eu estava feliz, e só isso importava, com os outros, sem os outros, eu estava feliz.

Meia hora depois, ou talvez antes, fui acordado pelo aroma rico e encorpado do café que se espalhava pela casa. Mesmo com a porta fechada senti o cheiro e soube que não era o café dos meus pais. O deles fora passado e servido algumas horas antes. Era o segundo café da tarde, feito na máquina de espresso na qual Mafalda, o marido e Anchise passavam o café quando já tinham almoçado. Logo estariam descansando também. Um torpor pesado já pairava sobre a casa... o mundo estava adormecendo. Tudo o que eu queria era que ele passasse pela minha porta na varanda e, pela persiana entreaberta, visse meu corpo nu esparramado na cama. Ele ou Marzia... mas eu queria que alguém passasse e me visse, então decidisse o que queria fazer, eu poderia continuar dormindo ou, se eles se aproximassem, abriria espaço para que dormíssemos juntos. Vi um deles entrar em meu quarto e pegar a fruta e, com a fruta na mão, vir até a minha cama e aproximá-la do meu pau duro. *Sei que você não está dormindo*, diriam, então passariam o pêssego macio e maduro no meu pau até eu perfurar a fruta no vinco que me lembrava a bunda de Oliver. Esse pensamento me tomou e não ia embora.

Levantei e peguei um dos pêssegos, abri a fruta com os dedos, coloquei o caroço na mesa e levei gentilmente o pêssego felpudo e colorido até meu pau, então comecei a pressionar até que a fruta aberta escorregasse por ele. Se Anchise imaginasse, se Anchise soubesse o que eu estava fazendo com a fruta que ele cultivava com tamanha devoção todos os dias, ele e seu chapéu de palha largo, os dedos longos, nodosos e calejados que estavam sempre arrancando as ervas daninhas da terra seca. Seus pêssegos estavam mais para damascos do que pêssegos. Eu já tinha experimentado o reino animal. Agora estava indo para o reino das plantas. Os próximos seriam os minerais. A ideia quase me fez rir. O suco da fruta escorria pelo meu pau. Se Oliver me visse agora, eu deixaria que ele me chupasse como tinha chupado naquela manhã. Se Marzia viesse, deixaria que ela me ajudasse a terminar. O pêssego estava macio e firme, e quando finalmente consegui rompê-lo ao meio com meu pau, percebi que o núcleo avermelhado lembrava não só um ânus, mas uma vagina, então, segurando cada metade em uma das mãos e pressionando-as com firmeza contra meu pau, comecei a me esfregar, pensando em ninguém e em todo mundo, incluindo o pobre pêssego, que não fazia ideia do que estava acontecendo, só sabia que tinha que deixar rolar e no fim provavelmente também sentiu o prazer do ato, a ponto de eu pensar que o ouvi dizer *Me come, Elio, mais forte* e depois de um tempo, *Eu falei mais forte!*, enquanto eu buscava em minha mente imagens de Ovídio... não tinha um personagem que virou um pêssego e, se não tinha, eu não podia inventar ali mesmo, digamos, um jovem desgraçado e uma garota que com sua beleza tinham desprezado uma divindade invejosa que, por vingança, os transformou em um pessegueiro e só agora, depois de três mil anos, recebiam de volta o que lhes tinha sido tirado tão injustamente, enquanto sussurravam "Vou morrer quando você terminar, e você não deve terminar, nunca deve terminar"? A história me excitou tanto que o orgasmo tinha chegado praticamente sem aviso. Senti que podia parar naquele instante ou, com mais um movimento, gozar, que foi o que fiz, com cuidado, mirando o jato no núcleo avermelhado do pêssego aberto como em um ritual de inseminação.

Que coisa mais louca. Inclinei o corpo para trás, segurando a fruta com as mãos, grato por não ter sujado o lençol de suco ou sêmen. O pêssego ferido e danificado deitou de lado na mesa, envergonhado, leal, machucado e confuso, tentando não derrubar o que eu tinha deixado dentro dele. Isso me fez pensar que eu provavelmente não parecia tão diferente na noite anterior depois de ele ter gozado dentro de mim pela primeira vez.

Coloquei uma regata, mas decidi continuar nu da cintura para baixo e deitar sob o lençol.

Acordei com o barulho de alguém abrindo a persiana e fechando de novo. Como no meu sonho, ele veio até mim nas pontas dos pés, não para me surpreender, mas para não me acordar. Eu sabia que era Oliver e, com os olhos ainda fechados, levantei o braço em sua direção. Ele o pegou e beijou, então levantou o lençol e pareceu surpreso ao perceber que eu estava nu. Imediatamente levou os lábios para onde tinham prometido voltar naquela manhã. Amou o gosto pegajoso. O que eu tinha feito?

Contei e apontei para a prova ferida que estava em cima da mesa.

— Quero ver.

Ele levantou e perguntou se eu tinha deixado aquilo para ele. Talvez tivesse. Ou tinha simplesmente largado ali pensando em como jogar fora?

— É o que eu estou pensando?

Eu assenti, fingindo vergonha.

— Você tem ideia do esforço que Anchise dedica a cada um desses pêssegos?

Oliver estava brincando, mas parecia que ele, ou alguém por meio dele, estava fazendo a mesma pergunta a respeito do esforço que meus pais dedicavam a mim.

Ele trouxe o pêssego pela metade até a minha cama, com cuidado para não derramar o conteúdo enquanto tirava a roupa.

— Eu sou nojento, não sou? — perguntei

— Não, você não é nojento... queria que todo mundo fosse nojento como você. Quer ver o que é nojento?

O que ele estava aprontando? Hesitei em dizer sim.

— Pense no número de pessoas que gozaram antes de você... você, seu avô, seu tataravô, e todas as gerações de Elios antes de você, e os de lugares distantes, todos espremidos no conta-gotas que faz de você quem você é. Posso experimentar?

Balancei a cabeça.

Ele enfiou um dedo no núcleo do pêssego e levou até a boca.

— Por favor, não faça isso.

Era mais do que eu podia suportar.

— Nunca suportei o meu. Mas esse é seu. Por favor, explique.

— Me faz sentir horrível.

Ele deu de ombros para o meu comentário.

— Olha só, você não precisa fazer isso. Eu que fui atrás de você, eu procurei você, tudo o que aconteceu foi culpa minha... você não precisa fazer isso.

— Besteira. Eu quis você desde o primeiro dia. Só escondi melhor.

— Claro!

Eu me estiquei para pegar a fruta de sua mão, mas com a outra ele segurou meu pulso e apertou com força, como fazem nos filmes, quando um homem obriga o outro a soltar uma faca.

— Você está me machucando.

— Então pare.

Vi Oliver colocar o pêssego na boca e começar a comê-lo devagar, olhando para mim tão intensamente que pensei que mesmo uma transa não chegaria a esse ponto.

— Se você quiser cuspir não tem problema, não mesmo, eu prometo, não vou ficar ofendido — falei mais para quebrar o silêncio do que como uma última súplica.

Ele balançou a cabeça. Soube que ele estava sentindo o gosto naquele exato momento. Algo meu estava em sua boca, mais dele do que meu agora. Não sei o que aconteceu comigo naquele momento enquanto eu o observava, mas de repente senti uma vontade incontrolável de chorar. E, em vez de tentar lutar contra, como fizera em relação ao orgasmo, eu simplesmente me soltei, como se também quisesse mostrar algo íntimo meu. Eu me aproximei e abafei meu choro em seu ombro. Estava chorando porque nenhum estranho jamais foi tão gentil ou tão longe por mim, nem Anchise que uma vez abriu meu pé para chupar e cuspir o veneno de um escorpião. Eu estava chorando porque nunca conheci tamanha gratidão e não tinha outro jeito de demonstrar isso. E estava chorando pelos pensamentos horríveis que alimentei contra ele naquela manhã. E pela noite anterior também, porque, querendo ou não, eu nunca mais poderia voltar atrás, e era um bom momento para mostrar que ele estava certo, que não era fácil, que a diversão tinha seus meios de sair dos eixos e que se tínhamos apressado as coisas era tarde demais para dar um passo atrás... chorando porque algo estava acontecendo, e eu não tinha ideia do que era.

— Independentemente do que aconteça entre nós, Elio, quero que você saiba. Nunca diga que você não sabia.

Ele ainda estava mastigando. No calor da paixão seria uma coisa. Mas aquilo ali era outra bem diferente. Ele estava me levando consigo.

As palavras dele não faziam o menor sentido. Mas eu sabia exatamente o que queriam dizer.

— Esse é meu jeito de demonstrar. Melhor isso do que palavras. De todas as pessoas que conheço, você certamente entenderia — acrescentou ele.

Esfreguei minha mão em seu rosto. Então, sem saber por quê, comecei a lamber suas pálpebras.

— Me beije agora, antes que desapareça totalmente — falei.

A boca dele teria gosto de pêssego e de mim.

Fiquei em meu quarto muito tempo depois que Oliver saiu. Quando finalmente acordei, era quase noite, o que me deixou de mau humor. A dor tinha ido embora, mas senti de novo o mal-estar que tinha experimentado ao amanhecer. Não sabia se era o mesmo sentimento, ressurgindo depois de um longo hiato, ou se o anterior tinha curado e esse era totalmente novo, resultado da atividade sexual da tarde. Eu sempre sentiria aquela culpa solitária após os momentos inebriantes juntos? Por que não sentia a mesma coisa depois da Marzia? Era o jeito da natureza de me lembrar que era melhor que eu ficasse com ela?

Tomei um banho e coloquei roupas limpas. Lá embaixo, todos estavam tomando drinques. Os dois convidados da noite anterior haviam retornado e conversavam com minha mãe, enquanto um convidado novo, outro repórter, ouvia com atenção Oliver descrever seu livro sobre Heráclito. Ele tinha aperfeiçoado a arte de criar um resumo de cinco frases que parecia ter sido criado no calor do momento especialmente para aquele ouvinte.

— Você vai ficar? — perguntou minha mãe.

— Não, vou encontrar Marzia.

Ela lançou um olhar apreensivo e começou a balançar a cabeça discretamente, como se dissesse, *Não aprovo, ela é uma boa garota, você devia sair com ela em grupo.*

— Deixe o garoto em paz, você e seus grupos. — Foi a resposta libertadora do meu pai. — Ele fica em casa quieto o dia todo. Deixe-o fazer o que quiser. *O que quiser!*

Se ele soubesse.

E se eu contasse?

Meu pai jamais se oporia. Talvez fizesse uma careta, mas logo voltaria ao normal.

Nunca me ocorreu esconder de Oliver o que eu fazia com Marzia. Padeiros e açougueiros não competem, eu pensava. Nem ele, provavelmente, se importaria com a questão.

Naquela noite Marzia e eu fomos ao cinema. Tomamos sorvete na *piazzetta*. E de novo na casa dos pais dela.

— Quero ir à livraria de novo — disse ela enquanto me levava até o portão no jardim. — Mas não gosto de ir ao cinema com você.

— Quer ir perto da hora de fechar amanhã?

— Por que não? — Ela queria repetir aquela noite.

Marzia me beijou. O que eu queria era ir à livraria quando tivesse acabado de abrir pela manhã, com a opção de voltar na mesma noite.

Quando cheguei em casa, os convidados estavam quase indo embora. Oliver não estava em casa.

Tudo bem, pensei.

Fui para o quarto e, por falta do que fazer, abri meu diário.

Registro da noite anterior: *"Vejo você à meia-noite."* Espera só. Ele nem vai aparecer. *"Não encha o saco"*... é isso que *"Vê se cresce"* quer dizer. Queria não ter dito nada.

Nos rabiscos que tracei em volta dessas palavras antes de ir até o quarto dele, eu estava tentando recuperar a memória do nervosismo da noite anterior. Talvez quisesse aliviar as ansiedades daquela noite, tanto para mascarar as atuais quanto para me lembrar de que, se meus piores medos de repente se dissolveram quando entrei no quarto dele, talvez também tivessem o mesmo fim hoje e fossem facilmente dominados assim que eu ouvisse seus passos.

Mas eu não conseguia nem me lembrar das ansiedades da noite anterior. Tinham sido completamente ofuscadas pelo que as seguiu e pareciam pertencer a outro segmento de tempo ao qual eu não tinha acesso. Tudo sobre a noite anterior desapareceu de repente. Eu não me lembrava de nada. Tentei sussurrar "Não encha o saco" para mim mesmo para tentar reacender minha memória. As palavras tinham parecido tão reais na noite anterior. Agora eram apenas palavras tentando fazer algum sentido.

Então percebi. O que eu estava vivenciando essa noite era diferente de tudo o que já tinha vivido.

Era muito pior. Eu não sabia nem que nome dar àquela sensação.

Pensando bem, eu também não sabia que nome dar ao nervosismo da noite anterior.

Eu tinha dado um passo gigante. Mas ali estava, não me sentia mais sábio nem mais certo das coisas do que antes de passarmos a noite juntos. Era como se nem tivéssemos passado.

Pelo menos na noite anterior havia o medo de falhar, o medo de ser colocado para fora ou chamado pelo mesmo nome que já tinha chamado outros. Agora que tinha superado esse medo, essa ansiedade, embora latente, estaria presente o tempo todo, como um presságio e um aviso de recifes assassinos além da tormenta?

E por que eu me importava com onde ele estava? Não era isso que eu queria para nós dois... padeiros e açougueiros e a coisa toda? Por que me sentir tão perdido só por ele não estar lá ou porque tinha dado um jeito de fugir, por que a sensação de que tudo o que estava fazendo agora era esperar por ele... esperar, esperar, esperar?

O que havia na espera que começava a parecer tortura? Se está com alguém, Oliver, está na hora de voltar para casa. Não vou fazer perguntas, prometo, só não me deixe esperando.

Se ele não aparecer em dez minutos, vou fazer alguma coisa.

Dez minutos depois, me sentindo impotente e me odiando por isso, decidi esperar mais dez, *dessa vez de verdade*.

Vinte minutos depois, não consegui mais suportar. Coloquei um suéter, saí para a varanda e desci. Iria até B., se fosse preciso, ver com meus próprios olhos. Estava indo em direção ao galpão das bicicletas, já discutindo comigo mesmo se devia ou não ir a N. primeiro, onde as pessoas costumavam ficar na rua até bem mais tarde do que em B., e já me xingando por não ter enchido os pneus de manhã, quando, de repente, alguma coisa me disse que eu devia parar imediatamente e tentar não incomodar Anchise, que dormia na casinha ali perto. Anchise sinistro... todos diziam que ele era sinistro. Eu suspeitei o tempo todo? Devo ter suspeitado. A queda da bicicleta, a mistura caseira de Anchise, a bondade com que cuidou dele e limpou a ferida.

Mas lá embaixo, nas pedras à beira da praia, ao luar, eu o vi. Estava sentado em uma das pedras mais altas, usava o suéter azul e branco listrado com os botões sempre abertos nos ombros que havia comprado na Sicília no início do verão. Não estava fazendo nada, estava apenas com os braços em volta dos joelhos, ouvindo as ondas baterem nas pedras lá embaixo. Olhando para ele da cerca, senti algo tão terno que me lembrou de como tinha ido correndo a B. para alcançá--lo antes mesmo que ele entrasse no correio. Ele era a melhor pessoa que eu tinha conhecido na vida. Eu havia escolhido bem. Abri o portão e pulei as várias pedras até chegar perto dele.

— Estava esperando você — disse.

— Achei que você tinha ido dormir. Pensei até que não queria.

— Não. Esperando. Só apaguei as luzes.

Olhei na direção da nossa casa. As persianas estavam todas fechadas. Eu me abaixei e beijei o pescoço de Oliver. Foi a primeira vez que o beijei com sentimento, não só desejo. Ele me abraçou. Inofensivo, caso alguém visse.

— O que você estava fazendo? — perguntei.

— Pensando.

— Sobre?

— Coisas. A volta para os Estados Unidos. Os cursos que tenho que dar no outono. O livro. Você.

— Eu?

— Eu? — Ele imitou minha modéstia.

— Em mais ninguém?

— Em mais ninguém. — Ele ficou em silêncio por um tempo. — Venho aqui todas as noites e fico sentado. Às vezes passo horas.

— Sozinho?

Ele assentiu.

— Nunca soube. Achava que...

— Eu sei o que você achava.

A notícia não podia ter me deixado mais feliz. Aquilo claramente vinha ofuscando as coisas entre nós. Decidi não insistir no assunto.

— Este lugar provavelmente é o que mais vai deixar saudade. — Então, depois de refletir um pouco, acrescentou: — Tenho sido feliz em B.

Parecia um preâmbulo da despedida.

— Eu estava olhando para lá — continuou, apontando para o horizonte — e pensando que em duas semanas vou estar de volta em Columbia.

Ele estava certo. Eu tinha feito questão de nunca contar os dias. No início porque não queria pensar em quanto tempo ele ficaria conosco; depois porque não queria encarar o fato de que restavam poucos dias.

— Tudo isso quer dizer que em dez dias, quando eu olhar para cá, você não vai estar aqui. Não sei o que vou fazer. Pelo menos você vai estar em outro lugar, onde não há lembranças.

Ele apertou meu ombro.

— Você tem uns pensamentos às vezes... você vai ficar bem.

— Talvez. Mas talvez não. Desperdiçamos tantos dias... tantas semanas.

— Desperdiçamos? Não sei. Talvez só precisássemos de tempo para descobrir se era isso mesmo que queríamos.

— Alguém dificultou as coisas de propósito.

— Eu?

Fiz que sim com a cabeça.

— Você sabe o que estávamos fazendo há exatamente uma noite.

Ele sorriu.

— Não sei como me sinto em relação a isso.

— Também não sei. Mas estou feliz por termos feito.

— Você vai ficar bem?

— Vou ficar bem. — Enfiei a mão dentro da calça dele. — Amo estar aqui com você.

Era meu jeito de dizer, Tenho sido feliz aqui também. Tentei imaginar o que *feliz aqui* queria dizer para ele: feliz ao chegar aqui depois de ter imaginado como seria o lugar, feliz por trabalhar naquelas manhãs de calor escaldante no *paraíso*, feliz indo e voltando da casa da tradutora de bicicleta, feliz indo para a cidade toda noite e voltando tão tarde, feliz com meus pais e a labuta prandial, feliz com os amigos do pôquer e todos os outros que fez na cidade e sobre quem eu não sabia nada? Um dia talvez ele me contasse. Eu me perguntei qual era meu papel no panorama geral de felicidade.

Por outro lado, amanhã, se fôssemos nadar cedinho, talvez eu fosse tomado mais uma vez pela autoaversão exagerada. Eu me perguntei se era possível se acostumar com isso. Ou será que acabamos acumulando um déficit de mal-estar tão grande que aprendemos a encontrar maneiras de consolidá-lo em um único sentimento com anistias e períodos de graça próprios? Ou a presença do outro, que ontem de manhã quase parecia um intruso, se torna cada vez mais necessária porque nos protege do nosso próprio inferno, e a mesma pessoa que causa nosso tormento ao amanhecer é quem o alivia à noite?

Na manhã seguinte, fomos nadar juntos. Mal tinha passado das seis, e o fato de ser tão cedo energizou o exercício. Mais tarde, enquanto ele boiava na piscina, quis segurá-lo, como instrutores de natação fazem quando seguram nosso corpo tão levemente que parecem nos manter boiando com o toque dos dedos. Por que eu me sentia mais velho do que ele naquele momento? Eu queria protegê-lo de tudo naquela manhã, das pedras, das águas-vivas, agora que era época de águas-vivas, de Anchise, cujo olhar sinistro, quando ele entrava no jardim para ligar os regadores, sempre arrancando ervas daninhas onde quer que estivesse, mesmo quando cho-

via, parecia arrancar também todos os segredos que acreditávamos ter escondido tão bem.
— Como você está? — perguntei, imitando a pergunta que ele fez na manhã anterior.
— Você deveria saber.
No café da manhã, não sei o que me deu, mas de repente estava abrindo o ovo quente para ele antes que Mafalda interviesse ou que ele o quebrasse com a colher. Eu nunca tinha feito isso para alguém na vida, mas ali estava, garantindo que nenhum pedacinho de casca caísse no seu ovo. Ele ficou feliz com o ovo. Quando Mafalda trouxe o *polpo* diário, fiquei feliz por ele. Alegria doméstica. Só porque ele tinha deixado que eu ficasse por cima na noite anterior.
Percebi que meu pai estava olhando para mim enquanto terminava de abrir o segundo ovo quente.
— Os americanos não sabem fazer isso — falei.
— Tenho certeza de que eles dão um jeito... — respondeu ele.
O pé que encostou no meu embaixo da mesa me disse que talvez eu devesse parar e supor que meu pai havia percebido alguma coisa.
— Ele não é bobo — disse Oliver mais tarde quando estava se arrumando para ir a B.
— Quer que eu vá com você?
— Não, melhor não chamar a atenção. É melhor você se dedicar ao Haydn hoje. Até depois.
— Até depois.
Marzia me ligou naquela manhã quando ele estava saindo. Oliver quase piscou para mim ao entregar o telefone. Não havia nada que sugerisse ironia, nada que não me lembrasse, a não ser que eu estivesse enganado — e não acho

que estava —, que o que havia ente nós era a total transparência que existe entre dois amigos.

Talvez fôssemos amigos em primeiro lugar e amantes em segundo.

Mas talvez os amantes sejam exatamente isso.

Quando penso nos últimos dez dias que passamos juntos, vejo o mergulho logo cedo, o café da manhã preguiçoso, a pedalada até a cidade, o trabalho no jardim, os almoços, os cochilos à tarde, mais trabalho à tarde, tênis talvez, a *piazzetta* depois do jantar e toda noite o tipo de sexo capaz de fazer o tempo parar. Naqueles dias, acho que não houve um minuto, além da meia hora que ele passava com a tradutora ou de quando eu conseguia roubar algumas horas para ficar com Marzia, em que não estivéssemos juntos.

— Quando você soube de mim? — perguntei um dia.

Esperava que ele dissesse *Quando apertei seus ombros e você quase desmaiou nos meus braços*. Ou, *Quando você molhou o calção naquela tarde em que conversamos no seu quarto*. Algo nesse sentido.

— Quando você ficou vermelho — respondeu ele.

— Eu?

Estávamos falando sobre tradução de poesia; de manhã cedinho, durante sua primeira semana conosco. Começamos a trabalhar mais cedo do que o normal naquele dia, provavelmente porque já tínhamos desfrutado das conversas espontâneas enquanto o café da manhã era servido embaixo da tília e estávamos ansiosos para passar mais tempo juntos. Ele perguntou se eu já tinha traduzido poesia. Disse que sim. Por que, ele também? Sim. Ele estava lendo Leopardi e tinha chegado a alguns versos que eram impossíveis de traduzir.

Falávamos sem parar, sem perceber o quanto uma conversa iniciada às pressas poderia ir longe, porque, ao mesmo tempo que nos aprofundávamos no mundo de Leopardi, também encontrávamos brechas onde nosso espontâneo senso de humor e nosso amor pelas palhaçadas corriam livres. Traduzimos os versos para o inglês, então do inglês para o grego antigo, e de volta para o inglês capenga e o italiano macarrônico. Os últimos versos de "À lua" ficaram tão distorcidos que caímos na gargalhada ao repetir a poesia sem sentido em italiano; de repente houve um momento de silêncio e, quando olhei para ele, vi que me encarava com aquele olhar frio e vítreo que sempre me desconcertava. Eu estava tentando articular as palavras e, quando ele perguntou como eu sabia de tantas coisas, tive a presença de espírito de dizer algo sobre ser filho de um professor universitário. Não costumava alardear meus conhecimentos, principalmente para alguém que me intimidava tanto. Não tinha com o que responder, nada a acrescentar, nada que pudesse confundir as coisas entre nós, nenhum lugar onde me esconder ou me proteger. Eu me senti tão exposto quanto um cordeiro abandonado nas planícies secas do Serengeti.

O ato de me encarar não fazia mais parte da conversa ou da brincadeira com a tradução; tinha suplantado as duas e se tornado um tema próprio, mas nenhum de nós se atrevia a mencioná-lo. E, sim, havia um brilho em seus olhos que me obrigou a desviar o olhar e, quando tornei a encará-lo, seus olhos permaneciam os mesmos e ainda estavam concentrados em meu rosto, como se dissessem *Então você desviou o olhar e voltou, vai desviar o olhar de novo?...* e tive que desviar o olhar mais uma vez, como se estivesse imerso em meus pensamentos, enquanto na verdade procurava algo para dizer, como um peixe que procura a água em um lago lamacento que está secando rápido ao sol. Ele devia saber exatamente o que eu estava sentindo. O que enfim me fez ficar vermelho não foi a vergonha natural do momento em que percebi que ele me pegou tentando sustentar seu olhar para então deixar o meu escapar em segurança; o que me fez ficar vermelho foi a possibilidade eletrizante, inacreditável de como eu queria que permanecesse, de que talvez ele realmente gostasse de mim, e de que gostava de mim como eu gostava dele.

Durante semanas confundi seu olhar com hostilidade descarada. Era simplesmente um homem tímido sustentando o olhar de outra pessoa.

Nós éramos, finalmente percebi, as duas pessoas mais tímidas do mundo.

Meu pai foi o único que realmente enxergou a situação desde o início.

— Você gosta de Leopardi? — perguntei, para quebrar o silêncio, mas também para insinuar que foi algo sobre Leopardi que me fez parecer um pouco distraído durante a pausa na conversa.

— Sim, muito.

— Eu também gosto muito dele.

Sempre soube que não estava falando de Leopardi. A questão era: ele sabia?

— Eu sabia que estava deixando você desconfortável, mas precisava ter certeza.

— Então você sempre soube?

— Digamos que eu tinha quase certeza.

Em outras palavras, havia começado poucos dias depois da chegada dele. Tudo tinha sido simulação, então? E todas as oscilações entre amizade e indiferença... o que eram? Nosso jeito furtivo de manter o controle sobre o outro e ao mesmo tempo negar? Ou eram simplesmente um jeito de manter o outro distante, esperando que o que sentíamos fosse de fato indiferença?

— Por que você não me deu um sinal? — perguntei.

— Eu dei. Ou tentei, pelo menos.

— Quando?

— Um dia depois do tênis. Toquei em você. Era uma maneira de demonstrar que gostava de você. O modo como você reagiu me fez sentir como se eu praticamente o tivesse molestado. Decidi manter distância.

Nossos melhores momentos aconteciam à tarde. Depois do almoço, eu subia para tirar um cochilo quando o café estava prestes a ser servido. Então, quando os convidados do almoço tinham ido embora, ou se retirado para descansar na casa de hóspedes, meu pai ia para o escritório ou deitava para cochilar com minha mãe. Às duas da tarde, um silêncio intenso se instalava sobre a casa, sobre o mundo, interrompido aqui e ali pelo arrulhar dos pombos ou pelo martelo de Anchise quando ele trabalhava em suas ferramentas tentando não fazer muito barulho. Eu gostava de ouvi-lo trabalhar à tarde, e mesmo quando as batidas me acordavam, ou quando ouvia o amolador de facas nas tardes de quarta-feira, eu me sentia tão descansado e em paz com o mundo quanto me sentiria anos mais tarde ao ouvir uma sirene distante em Cape Cod no meio da noite. Oliver gostava de manter as janelas e persianas totalmente abertas à tarde, apenas as cortinas finíssimas esvoaçando entre nós e a vida lá fora, porque era um "crime" bloquear tanta luz solar e manter uma paisagem daquela longe do nosso campo de visão, principalmente para quem não teria aquilo pela vida inteira, dizia ele. Os campos ondulados do vale que levava às colinas pareciam sentar sobre uma névoa crescente verde-oliva: girassóis, videiras, as lavandas esparsas e as oliveiras rasteiras e humildes, curvadas como espantalhos velhos e enrugados, olhando pasmas pela nossa janela quando estávamos nus na cama, o cheiro do seu suor, que era o cheiro do meu suor, ao lado do meu homem-mulher, e eu seu homem-mulher, e à nossa volta o aroma do sabão de camomila da Mafalda, que era o aroma do mundo vespertino da nossa casa.

Penso naqueles dias e não me arrependo de nada, nem dos riscos, nem da vergonha, nem da total falta de precaução. O brilho lírico do sol, os campos repletos de plantas altas balançando no calor intenso da tarde, o ranger do chão de madeira, ou o arranhar do cinzeiro de argila empurrado levemente sobre a placa de mármore que ficava na minha cabeceira. Eu sabia que nossos minutos eram contados; mas não ousava contá-los, assim como sabia para onde tudo aquilo estava levando, mas não queria ler as placas. Houve um momento em que intencionalmente não joguei migalhas para marcar o caminho do retorno; em vez disso, comi todas. Ele podia vir a se revelar uma aberração; podia me mudar ou me estragar para sempre, e o tempo e a fofoca talvez estripassem tudo o que compartilhávamos e podassem a coisa toda até que só restassem espinhas de peixe. Talvez eu sentisse saudade desse dia, ou talvez acabasse bem melhor do que agora, mas pelo menos sempre saberia que naquelas tardes no meu quarto eu tinha aproveitado o momento.

Certa manhã, no entanto, acordei e vi toda B. coberta por nuvens escuras e baixas quer corriam no céu. Soube exatamente o que queria dizer. O outono estava virando a esquina.

Algumas horas depois, as nuvens limparam completamente, e o tempo, como se para compensar a pegadinha impiedosa, pareceu apagar qualquer sinal de outono de nossas vidas e nos deu um dos dias mais amenos da estação. Mas entendi o aviso e, como um júri que ouviu provas inadmissíveis antes que fossem excluídas dos autos pelo juiz, de repente vi que nosso tempo era emprestado, que o tempo é sempre emprestado, e que a agência de crédito cobra a dívida exatamente quando estamos menos preparados para pagá-la e precisamos pegar mais emprestado. Comecei a tirar fotos mentais dele, juntei as migalhas que caíam da nossa mesa e as guardei para minha fuga e, vergonhosamente, fiz listas: a pedra, o penhasco, a cama, o som do cinzeiro. A pedra, o penhasco, a cama... Desejei ser como aqueles soldados nos filmes cujas balas acabam e eles jogam as armas fora como se nunca mais pudessem ter qualquer utilidade, ou como fugitivos no deserto que, em vez de racionar a água da cabaça, cedem à sede e engolem tudo, e jogam as cabaças fora pelo caminho. Em vez disso, me agarrei a pequenas coisas para que nos dias de escassez que viriam vislumbres do passado pudessem trazer de volta o calor. Comecei, relutantemente, a roubar do presente para pagar dívidas que eu sabia que poderia contrair no futuro. Isso, eu sabia, era tão criminoso quanto fechar as persianas nas tardes ensolaradas. Mas também sabia que esperar pelo pior era o jeito certo de prevenir que o pior acontecesse.

Quando saímos para caminhar uma noite e ele me disse que logo voltaria para casa, percebi o quanto minha pretensa previsão tinha sido fútil. Bombas nunca caem no mesmo lugar; aquela, contra todas as minhas previsões, caiu exatamente no meu esconderijo.

Oliver ia voltar para os Estados Unidos na segunda semana de agosto. Nos primeiros dias do mês, ele disse que queria passar três dias em Roma e usar esse tempo para trabalhar na versão final do manuscrito com o editor italiano. De lá voaria direto para casa. Eu gostaria de ir com ele?
 Eu disse sim. Mas não era melhor perguntar aos meus pais primeiro? Não seria necessário, eles nunca diziam não. Tudo bem, mas eles não...? Não. Ao saber que Oliver ia embora antes do esperado e que passaria alguns dias em Roma, minha mãe perguntou — com a permissão do *kaiboy*, é claro — se eu poderia acompanhá-lo. Meu pai não foi contra.
 Minha mãe me ajudou a fazer a mala. Eu precisava levar um paletó, caso o editor quisesse nos levar para jantar? Não haveria jantar. Além disso, por que eu seria convidado? Eu devia levar um paletó mesmo assim, pensou ela. Eu queria levar uma mochila, viajar como qualquer pessoa da minha idade viajaria. Como quiser. Mesmo assim, ela me ajudou a tirar tudo e a refazer a mala quando ficou claro que não haveria lugar para tudo o que eu queria levar. Você vai ficar só dois ou três dias. Oliver e eu não tínhamos falado com precisão sobre nossos últimos dias juntos. Minha mãe jamais saberia como seu "dois ou três dias" me atingiu naquela manhã. Sabíamos em que hotel ficaríamos? *Penzione* alguma coisa. Nunca ouvi falar, mas quem era ela para saber?, disse. Meu pai não queria discussão. Ele mesmo fez as reservas. É um presente, disse ele.
 Oliver não só arrumou a própria mala como, no dia em que pegaríamos o *direttissimo* até Roma, segurou-a e colo-

cou-a no exato lugar do quarto onde eu a tinha largado no dia de sua chegada. Naquele dia, minha mente acelerou para o momento em que teria meu quarto de volta. Agora me perguntava do que estaria disposto a abrir mão para voltar àquela tarde no fim de junho, quando apresentei a ele aquele que tinha se tornado o tour *de rigueur* da propriedade, que fazia com todos os hóspedes, e como uma coisa levou a outra acabamos no terreno baldio que levava aos trilhos abandonados onde recebi minha primeira dose de tantos *depois*. Qualquer pessoa da minha idade ia preferir tirar um cochilo do que caminhar até os limites da nossa propriedade naquele dia. Claramente eu já sabia o que estava fazendo.

A simetria de tudo, ou a aparência vazia, quase saqueada, do quarto, me deu um nó na garganta. A imagem que me veio à mente não foi a de estar em um quarto de hotel à espera do mensageiro que nos ajudará a levar as coisas para o saguão depois de uma estadia maravilhosa prestes a acabar, mas a de estar em um quarto de hospital depois que todos os nossos pertences foram guardados, e o próximo paciente, que ainda não foi internado, provavelmente se encontra à beira da morte na emergência, esperando por um leito, exatamente como fizemos uma semana antes.

Era um teste para a separação final. Como olhar para alguém preso a um respirador que vai ser desligado em dois dias.

Eu estava feliz porque o quarto tinha voltado para mim. No meu quarto, que também era de Oliver, seria mais fácil me lembrar das nossas noites.

Não, melhor ficar no quarto atual. Assim, pelo menos, eu poderia fingir que ele ainda estava no dele e, se não estivesse, que ainda não tinha chegado, como era comum naquelas noites em que eu contava os minutos, as horas, os ruídos.

Quando abri o armário, percebi que ele tinha deixado em alguns cabides um calção, uma cueca, a calça de sarja e uma camisa limpa. Reconheci a camisa. Esvoaçante. E reconheci o calção. Vermelho. Eram para quando ele fosse dar um mergulho pela última vez naquela manhã.

— Preciso contar uma coisa sobre esse calção — falei ao fechar a porta do armário.

— Contar o quê?

— No trem eu conto.

Mas acabei contando mesmo assim.

— Só prometa que vai me deixar ficar com ele.

— Só isso?

— Bom, use bastante hoje... e não vá nadar com ele.

— Nojento.

— Nojento e muito, muito triste.

— Nunca vi você assim.

— E quero a camisa também. E as alpargatas. E os óculos de sol. E você.

No trem contei sobre o dia em que pensei que ele tinha morrido afogado e como estava determinado a pedir ao meu pai que reunisse o máximo possível de pescadores para procurar por ele e, quando o encontrassem, eles acenderiam uma pira na praia e eu pegaria a faca da Mafalda na cozinha e arrancaria seu coração, porque aquele coração e a camisa eram tudo o que eu tinha de valioso na vida. Um coração e uma camisa. O coração dele enrolado em uma camisa úmida — como o peixe de Anchise.

PARTE 3

A síndrome de São Clemente

Chegamos à estação Termini por volta das sete da noite de uma quarta-feira. O ar estava pesado e úmido, como se Roma tivesse sido inundada por uma tempestade que veio e foi embora sem aliviar qualquer umidade. A uma hora do anoitecer, os postes de luz brilhavam em halos densos, e as fachadas luminosas das lojas pareciam embebidas em cores de sua própria criação. A umidade se agarrava a cada testa e cada rosto. Eu queria acariciar o dele. Não via a hora de chegar ao hotel, tomar banho e me jogar na cama, sabendo que, se o quarto não tivesse ar-condicionado, o banho não adiantaria de nada. Mas também estava amando a preguiça que se abatia sobre a cidade, como o braço cansado de um amante descansando em nossos ombros.

Será que teríamos uma varanda? Eu gostaria de uma varanda. Sentar no mármore gelado e assistir ao sol se pôr sobre Roma. Água mineral. Ou cerveja. E salgadinhos para beliscar. Meu pai tinha reservado um quarto em um dos hotéis mais luxuosos de Roma.

Oliver queria pegar o primeiro táxi que aparecesse. Eu queria pegar um ônibus. Ansiava por um ônibus lotado. Queria entrar e abrir caminho pela massa suada, com Oliver atrás de mim. Mas segundos depois de entrar no ônibus decidimos sair. Era *real demais*, brincamos. Passei pela prensa de passageiros enfurecidos que não entendiam o que estávamos fazendo. Acabei pisando no pé de uma mulher.

— *E non chiede manco scusa*, e nem pede desculpa — resmungou ela para as pessoas à sua volta, que tinham acabado de entrar no ônibus e não nos deixavam sair.

Finalmente, fizemos sinal para um táxi. Depois de ouvir o nome do nosso hotel e nos ouvir falando inglês, o taxista começou a fazer voltas inexplicáveis.

— *Inutile prendere tante scorciatoie*, não precisa pegar tantos atalhos, não estamos com pressa! — falei em dialeto romano.

Para nossa alegria, o maior dos quartos adjacentes tinha uma varanda e, quando abrimos as portas que davam para ele, as cúpulas reluzentes de inúmeras igrejas refletiram o pôr do sol na vista ampla e livre lá embaixo. Alguém tinha mandado flores e uma cesta de frutas. O cartão era do editor italiano de Oliver: *"Venha até a livraria por volta das oito e meia. Traga o manuscrito. Estamos fazendo uma festa para um dos autores. Ti aspettiamo, esperamos você."*

Não planejamos nada além de ir jantar e depois andar pelas ruas.

— Mas eu estou convidado? — perguntei, me sentindo um pouco desconfortável.

— Agora está.

Sentamos perto da televisão, beliscamos algumas frutas e descascamos figos um para o outro.

Ele disse que ia tomar banho. Quando o vi nu, imediatamente tirei a roupa também.

— Só um pouquinho — falei quando nossos corpos se tocaram, porque amava a umidade que se agarrava a ele. — Queria que você não precisasse tomar banho.

O cheiro dele me lembrava de Marzia, ela também sempre parecia exalar a salmoura da praia nos dias em que não havia uma brisa e tudo o que dava para sentir era o cheiro cru e cinzento da areia escaldante. Eu amava o sal em seus braços, seus ombros, ao longo de suas vértebras. Ainda eram novidade para mim.

— Se deitarmos agora, vamos perder a festa — disse ele.

Essas palavras, proferidas do alto da alegria que ninguém parecia poder nos roubar, me levariam de volta àquele quarto de hotel e à noite úmida de *ferragosto* quando nós dois apoiamos os braços no peitoril da janela completamente nus, assistindo ao fim de tarde insuportavelmente quente, os dois ainda cheirando ao compartimento abafado do trem que naquele momento provavelmente estaria chegando a Nápoles e onde tínhamos dormido, minha cabeça descansando apoiada na dele sob o olhar dos outros passageiros. Sentindo o ar da noite, eu sabia que talvez nunca mais tivéssemos aquilo, mas não conseguia acreditar. Ele devia estar pensando o mesmo enquanto examinávamos a paisagem urbana incrível, fumando e comendo figos frescos, lado a lado, os dois querendo fazer algo para marcar o momento, então, cedendo a um impulso que não poderia parecer mais natural à época, deixei que minha mão esquerda acariciasse a bunda dele e comecei a enfiar o dedo do meio, ao que ele respondeu:

— Se você continuar fazendo isso, definitivamente não vai haver festa.

Pedi a ele que me fizesse um favor e continuasse olhando pela janela, mas que se inclinasse um pouco para a frente, até que tive uma ideia quando meu dedo inteiro estava dentro dele: que tal começar, mas não terminar. Então tomar banho e sair, nos sentirmos como dois fios desencapados e expostos soltando faíscas a cada simples toque. Olhar casas antigas e ansiar pelo abraço, ver um poste na esquina e, como um cão, querer deixar ali um jato, passar por uma galeria de arte e procurar pelo orifício dos corpos nus, cruzar com um rosto que simplesmente sorrisse em nossa direção e imediatamente começar a despir a pessoa e convidá-la, ou convidá-lo, ou os dois, caso fossem mais de um, a se juntarem a nós para uma bebida, um jantar, qualquer coisa. Encontrar Eros em todos os lugares de Roma porque cortamos uma de suas asas e agora ele era obrigado a voar em círculos.

Nunca tínhamos tomado banho juntos. Nunca nem tínhamos estado no mesmo banheiro juntos.

— Não dê descarga — falei. — Quero ver.

O que vi trouxe à tona a compaixão, por ele, por seu corpo, por sua vida, que de repente parecia tão frágil e vulnerável.

— Nossos corpos não têm mais segredos agora — falei enquanto me sentava.

Ele tinha entrado na banheira e estava prestes a abrir o chuveiro.

— Quero que você veja o meu — pedi.

Ele fez mais do que isso, saiu, beijou minha boca e, massageando minha barriga com a palma da mão, assistiu a tudo acontecer.

Eu não queria segredos, nem barreiras, nada entre nós. Mal sabia que, se sentia prazer na franqueza completa que nos aproximava ainda mais a cada vez que jurávamos que *meu corpo é seu corpo*, também era porque gostava de reacender a pequena lanterna de vergonha ignorada. Ela lançava um brilho esparso exatamente na parte de mim que preferia a escuridão. A vergonha andava no rastro da intimidade imediata. A intimidade poderia permanecer quando a obscenidade chegasse ao fim e nossos corpos tivessem usado todos os truques?

Não sei se fiz essa pergunta, assim como não tenho certeza de que sou capaz de respondê-la hoje. Nossa intimidade era paga com a moeda errada?

Ou a intimidade é produto desejado independentemente de onde é encontrada, como é adquirida, pelo que é trocada — mercado negro, mercado cinza, taxada, não taxada, por debaixo da mesa, sobre o balcão?

Tudo o que eu sabia era que não tinha mais nada a esconder dele. Nunca tinha me sentido tão livre ou tão seguro.

Ficamos sozinhos por três dias, não conhecíamos ninguém na cidade, podíamos ser o que quiséssemos, dizer qualquer coisa, fazer qualquer coisa. Eu me sentia um prisioneiro de guerra que de repente é libertado por um exército invasor, que lhe diz que ele pode ir para casa, sem formulários, sem interrogatórios, sem perguntas, sem ônibus, sem portões, sem filas para pegar roupas limpas... só começar a caminhar.

Tomamos banho. Usamos as roupas um do outro. Usamos as cuecas um do outro. A ideia foi minha.

Talvez tudo isso tenha lhe dado uma segunda chance à tolice, à juventude.

Talvez ele já tivesse estado "ali" anos antes e houvesse parado para uma estadia curta na viagem de volta para casa.

Talvez ele estivesse me copiando, me assistindo.

Talvez nunca tivesse feito aquilo com ninguém e eu tivesse aparecido na hora exata.

Ele pegou o manuscrito, os óculos de sol, e fechamos a porta do nosso quarto. Como dois circuitos elétricos. Saímos do elevador. Sorrisos para todos. Para os funcionários do hotel. Para o vendedor de flores na rua. Para a garota na banca de jornal.

Sorria, e o mundo sorri de volta.

— Oliver, estou feliz — falei.

Ele olhou para mim com espanto.

— Você só está com tesão.

— Não, é felicidade.

No caminho, vimos uma estátua humana de Dante coberta por um pano vermelho, com um nariz aquilino exagerado e a maior expressão de desdém em cada traço de seu rosto. A toga e o capuz vermelhos e os óculos de armação grossa de madeira davam a seu rosto já severo a aparência de um velho e implacável padre confessor. Uma multidão tinha se reunido em torno do grande bardo, que permanecia imóvel na calçada, com os braços cruzados em uma postura provocadora, o corpo todo ereto, como um homem esperando por Virgílio ou pelo metrô. Quando um turista jogou uma moeda em um livro antigo oco, ele simulou o olhar apaixonado de um Dante que tinha acabado de ver sua Beatriz atravessando a Ponte Vecchio e, esticando o pescoço comprido, imediatamente gemeu, como um artista de rua que cospe fogo,

Guido, vorrei che tu e Lapo ed io
fossimo presi per incantamento,
e messi ad un vascel, ch'ad ogni vento
per mare andasse a voler vostro e mio.

Guido, quisera que tu e Lapo e eu
fôssemos tomados por um encantamento,

e postos numa nau, ao bel-prazer do vento
percorrendo o mar segundo o desejo teu e meu.

Quanta verdade, pensei. Oliver, eu queria que você e eu e todos de quem gostamos pudéssemos viver para sempre na mesma casa...
Depois de proferir os versos com uma voz suave, ele lentamente voltou à posição feroz e misantrópica de antes até outro turista jogar uma moeda.

E io, quando 'l suo braccio a me distese,
ficcaï li occhi per lo cotto aspetto,
sì che 'l viso abbrusciato non difese
la conoscenza süa al mio 'ntelletto;
e chinando la mano a la sua faccia,
rispuosi: "Siete voi qui, ser Brunetto?"

E eu, logo que ele o braço me esticou,
tanto espreitei seu abrasado aspecto,
que o crestado do rosto não obstou
seu reconhecimento ao meu intelecto,
e, para o dele baixando o meu rosto,
"Sois vós aqui", indaguei, "*ser* Brunetto?".

Mesmo olhar desdenhoso. Mesma cara fechada. A multidão se dispersou. Ninguém pareceu reconhecer a passagem do Canto XV do *Inferno* na qual Dante encontra o antigo professor, Brunetto Latini, entre os homossexuais. Dois americanos, que finalmente conseguiram encontrar algumas moedas na mochila, lançaram uma chuva de moedinhas. Mesmo olhar furioso e ameaçador:

Ma che ciarifrega, che ciarimporta,
se l'oste ar vino cia messo l'acqua:
e noi je dimo, e noi je famo,
"ciai messo l'acqua
e nun te pagamo!".

Mas quem liga, quem se importa,
se no vinho colocaram água.
acusaremos, simplesmente diremos:
"Colocaste água,
não pagaremos!"

Oliver não entendeu por que todos imediatamente começaram a rir dos pobres turistas. Porque o homem recitou uma canção de bar e, para quem não a conhece, não tem graça.

Eu disse que lhe mostraria um atalho para a livraria. Ele não se importava de pegar o caminho mais longo. Talvez devêssemos ir pelo caminho mais longo. Por que a pressa?, disse. O meu era melhor. Oliver pareceu inquieto e insistiu.

— Tem alguma coisa que eu deva saber? — perguntei finalmente.

Achei que seria uma maneira discreta de dar-lhe a oportunidade de articular o que o incomodava. Alguma coisa com que estivesse se sentindo desconfortável? Teria a ver com o editor? Com outra pessoa? Minha presença, talvez? Vou ficar muito bem sozinho se você preferir ir sem mim. De repente percebi o que o incomodava. Ele estava levando o filho do professor.

— Não é nada disso, seu pateta.

— Então o que é?

Continuamos andando, e ele colocou o braço em volta da minha cintura.

— Estou começando a sentir saudade. Não quero que nada mude ou nos atrapalhe esta noite.

— Quem é pateta?

Ele olhou demoradamente para mim.

Decidimos pegar o meu caminho. Atravessamos a Piazza Montecitorio até a Via del Corso. Depois subimos a Belsiana.

— Foi por aqui que começou — falei.

— O quê?

— Aquilo.

— Por isso você queria passar aqui?

— Com você.

Eu já tinha contado a história. Um jovem de bicicleta, três anos antes, provavelmente durante as férias, entregador de compras ou garoto de recados, veio por um caminho estreito com o avental, me encarando, eu encarando de volta, sem sorrir, só um olhar apreensivo, até passar por mim. E então fiz o que todos esperam que façamos nesses momentos. Esperei alguns segundos, então virei. Ele fez exatamente a mesma coisa. Na minha família, não falamos com estranhos. Ele, sim. Virou a bicicleta e pedalou até me alcançar. Algumas palavras insignificantes para jogar conversa fora. Como era natural para ele. Perguntas, perguntas, perguntas — só para manter a conversa fluindo —, e eu nem sequer tinha fôlego para responder "sim" ou "não". Ele me cumprimentou, mas era só uma desculpa para pegar minha mão. Então colocou o braço em meu ombro e me puxou para perto, como se um de nós tivesse contado uma piada que nos fez rir e nos aproximarmos. Eu queria encontrá-lo em um cinema ali perto? Balancei a cabeça. Eu queria segui-lo até a loja (o che-

fe provavelmente já teria ido embora a essa hora)? Fiz que não de novo. Você é tímido? Assenti. Isso tudo sem largar minha mão, apertando minha mão, apertando meu ombro, passando a mão em minha nuca com um sorriso paternalista e indulgente, como se já tivesse desistido, mas ainda não estivesse pronto para admitir. Por que não?, seguia perguntando. Eu poderia ter aceitado, facilmente, mas não aceitei.
— Recusei tantos convites. Nunca fui atrás de ninguém.
— Veio atrás de mim.
— Você deixou.
Via Frattina, via Borgognona, via Condotti, via delle Carrozze, della Croce, via Vittoria. De repente eu amava todas elas. Quando chegamos perto da livraria, Oliver me disse para seguir em frente, precisava fazer uma ligação rápida. Podia ter ligado do hotel. Ou talvez precisasse de privacidade. Então segui em frente e parei em um bar para comprar cigarros. Quando cheguei à livraria, com sua grande porta de vidro e dois bustos romanos de barro sobre dois cepos aparentemente antigos, fiquei nervoso de repente. O lugar estava lotado e, pela porta grossa de vidro, com enfeites de bronze, dava para ver uma multidão de adultos, todos pareciam comer *petits fours*. Alguém do lado de dentro viu que eu estava olhando e fez sinal me convidando para entrar. Balancei a cabeça, indicando com um gesto hesitante que eu estava esperando alguém que já descia a rua. Mas o dono, ou seu assistente, como se fosse o gerente de um bar, abriu a porta sem sair para a calçada, o braço completamente esticado, e ficou ali parado, quase me obrigando a entrar. *Venga, su, venga!*, disse. As mangas da camisa dobradas grosseiramente até os ombros. A leitura ainda não tinha começado, mas a livraria estava completamente lotada, todos fumando,

conversando alto, folheando livros, segurando um pequeno copo de plástico que parecia conter uísque escocês. Até a galeria superior, em cujo corrimão se apoiavam cotovelos e braços de mulheres, estava cheia. Reconheci o autor no ato. Era o mesmo homem que tinha autografado exemplares de seu livro de poemas, *Se l'amore*, para mim e para Marzia. Estava cumprimentando várias pessoas.

Quando passou por mim, não pude deixar de estender a mão, cumprimentá-lo e dizer o quanto tinha gostado de ler seus poemas. Como eu poderia ter lido seus poemas, se o livro ainda nem tinha sido lançado? Alguém ouviu sua pergunta... será que iam me expulsar por ser um impostor?

— Comprei na livraria em B. algumas semanas atrás. Você foi muito gentil e autografou para mim.

Ele se lembrou da noite, então disse:

— *Un vero fan*, um fã de verdade — acrescentou em voz alta, para que as pessoas ao redor ouvissem.

Então todos se viraram para nós.

— Talvez não um fã... na idade dele costumam ser chamados de groupies — disse uma mulher mais velha com uma papada e roupas coloridas que faziam com que parecesse um tucano.

— De qual poema gostou mais?

— Alfred, você está parecendo um professor aplicando uma prova oral — zombou uma mulher que parecia ter trinta e poucos anos.

— Só queria saber de qual poema ele gostou mais. Não há mal nenhum em perguntar, há? — resmungou ele fingindo irritação.

Por um instante pensei que a mulher que me defendeu tivesse me tirado daquela situação. Estava enganado.

— Então, me diga — o autor retomou a pergunta —, de qual?

— Aquele que compara a vida a São Clemente.

— Aquele que compara o *amor* a São Clemente — corrigiu ele, como se meditasse sobre a profundidade de nossas declarações. — A síndrome de São Clemente.

Ele ficou me encarando.

— Por quê?

— Meu Deus, deixe o pobre rapaz em paz. Venha — interrompeu uma mulher que tinha ouvido minha outra defensora —, vou levá-lo até a comida para que você possa se afastar desse monstro que tem um ego do tamanho dos pés... você reparou no tamanho dos sapatos dele? Alfredo, você precisa fazer alguma coisa com esses sapatos — disse ela do outro lado da livraria lotada.

— Meus sapatos? Qual é o problema com meus sapatos? — perguntou o poeta.

— *Eles. São. Muito. Grandes.* Não parecem enormes? — indagou ela, olhando para mim. — Poetas não podem ter pés tão grandes.

— Deixe meus pés em paz.

Alguém ficou com pena do poeta.

— Não tire sarro dos pés dele, Lucia. Não tem nada de errado com eles.

— São pés de um pobre. Andou descalço a vida inteira, e ainda compra sapatos um número maior, caso cresça até o próximo Natal, quando a família costuma usar sapatos! — afirmou a mulher, parecendo uma megera amarga e abandonada.

Mas não soltei sua mão. Nem ela soltou a minha. Camaradagem urbana. Como era agradável segurar a mão de uma mulher, principalmente quando não sabemos nada sobre ela. *Se l'amore*, pensei. E todos aqueles braços bronzeados de todas aquelas mulheres que olhavam da galeria. *Se l'amore*.

O dono da livraria interrompeu o que poderia muito bem ter sido uma briga encenada entre marido e mulher.

— *Se l'amore* — gritou.

Todos riram. Não ficou claro se as risadas eram sinal de alívio pelo fim da discussão matrimonial ou porque o uso das palavras *Se l'amore* implicava *Se isso é amor, então...*

Mas as pessoas também entenderam que era um sinal de que a leitura começaria e todos procuraram por um canto confortável ou uma parede para se apoiar. Nosso lugar era o melhor, na escada em espiral, cada um sentado em um degrau. Ainda de mãos dadas.

O editor estava prestes a apresentar o poeta quando a porta se abriu. Oliver tentou abrir caminho entre as pessoas acompanhado de duas garotas deslumbrantes que deviam ser modelos ou atrizes. Parecia que tinha encontrado as duas no caminho para a livraria e estava trazendo uma para ele e a outra para mim. *Se l'amore*.

— Oliver! Finalmente! — gritou o editor, erguendo o copo de uísque. — Bem-vindo, bem-vindo.

Todos viraram para ele.

— Um dos mais jovens e talentosos filósofos americanos — disse o homem —, acompanhado de minhas duas lindas filhas, sem as quais *Se l'amore* jamais teria visto a luz do dia.

O poeta concordou. Sua esposa virou para mim e sussurrou:

— São duas beldades, não são?

O editor desceu da pequena plataforma improvisada e abraçou Oliver. Olhou para o envelope grande no qual Oliver tinha enfiado suas páginas.
— Manuscrito?
— Manuscrito — respondeu Oliver.
Em troca, o editor entregou o livro da noite.
— Você já me deu um.
— Tem razão.
Mas Oliver admirou a capa por educação, então olhou em volta e finalmente me viu sentado ao lado de Lucia. Andou até mim, colocou um braço em volta do meu ombro e se aproximou para beijá-la. Ela olhou para mim de novo, olhou para Oliver, analisou a situação:
— Oliver, *sei un dissoluto*, você é um devasso.
— *Se l'amore* — respondeu ele, mostrando um exemplar do livro, como se afirmasse que qualquer coisa que fosse capaz de fazer na vida já estava no livro do marido dela e, portanto, era permitida.
— *Se l'amore* para você também.
Não entendi se ele estava sendo chamado de devasso por causa das duas beldades com quem tinha entrado ou por minha causa. Ou pelos dois.
Oliver me apresentou às duas garotas. Claramente as conhecia bem, e as duas gostavam dele.
— *Sei l'amico di Oliver, vero?* É amigo do Oliver, não é? — perguntou umas delas. — Ele falou muito de você quando ligou esses dias.
— E disse o quê?
— Coisas boas.
Ela se apoiou na parede que ficava perto de onde eu estava, ao lado da mulher do poeta.

— Ele nunca mais vai soltar minha mão, não é? — perguntou Lucia, como se falasse com uma terceira pessoa que não estava ali.

Talvez quisesse que as duas beldades percebessem.

Eu não quis soltar sua mão imediatamente, mas sabia que devia fazê-lo. Então segurei-a com as duas mãos, trouxe-a até meus lábios, beijei a lateral perto da palma e soltei. Senti como se tivesse passado a tarde inteira com ela e agora estivesse liberando-a para o marido, como libertamos um pássaro cuja asa quebrada demorou a sarar.

— *Se l'amore* — disse ela, balançando a cabeça para simular uma repreensão. — Não menos devasso que o outro, apenas mais doce. Deixo-o com vocês.

A filha deu uma risada forçada.

— Vamos ver o que podemos fazer com ele.

Eu estava no paraíso.

Ela sabia meu nome. O dela era Amanda. O da irmã, Adele.

— Ainda tem uma terceira — disse Amanda, como se duas não fossem o bastante. — Era para ela estar aqui em algum lugar.

O poeta pigarreou. As palavras habituais de agradecimento a todos. Por último, mas não menos importante, para a luz de seus olhos, Lucia. Como ela o aguenta? Como, meu Deus?, murmurou a mulher com um sorriso amoroso para o poeta.

— Por causa dos sapatos — disse ele.

— Isso.

— Vamos logo com isso, Alfredo — disse o tucano papudo.

— *Se l'amore*. *Se l'amore* é uma coleção de poemas baseados em uma temporada que passei na Tailândia ensinan-

do Dante. Como muitos de vocês sabem, eu amava a Tailândia antes de ir para lá e passei a odiar assim que cheguei. Permitam-me reformular: eu odiava quando estava lá e passei a amar assim que saí.
Risadas.
Estavam servindo bebidas.
— Em Bangkok eu ficava pensando em Roma... Em que mais poderia pensar? Nesta lojinha aqui, e nas ruas ao redor logo antes do pôr do sol, e no som dos sinos das igrejas no domingo de Páscoa, e nos dias chuvosos, que duravam para sempre em Bangkok, eu quase caía no choro. Lucia, Lucia, Lucia, por que você não disse "não" se sabia o quanto eu sentiria sua falta naqueles dias em que me senti mais vazio do que Ovídio quando o enviaram para aquele lugar miserável onde ele morreu? Saí daqui um tolo e não voltei mais sábio. As pessoas na Tailândia são lindas... então a solidão pode ser cruel quando bebemos um pouco e ficamos vulneráveis a tocar o primeiro estranho que aparece em nosso caminho... são pessoas lindas, mas paga-se por um sorriso como a um drinque. — Ele fez uma pausa como se estivesse organizando os pensamentos. — Chamo estes poemas de "Tristia".

"Tristia" levou bem uns vinte minutos. Então vieram os aplausos. A palavra que uma das garotas usou foi *forte*. *Molto forte*. O tucano papudo virou para uma mulher que assentia a quase cada sílaba proferida pelo poeta e que agora repetia *Straordinario-fanstatico*. O poeta desceu, pegou um copo d'água e segurou a respiração por um tempo... para se livrar de uma crise forte de soluço. Eu tinha pensado que os espasmos eram suspiros reprimidos. O poeta, olhando em todos os bolsos de seu paletó sem achar nada, uniu o dedo indicador ao médio e, fazendo um gesto na frente da boca, sinalizou ao dono da livraria que queria fumar e se misturar às pessoas por alguns minutos. *Straordinario-fanstatico*, que viu o sinal, imediatamente sacou a cigarreira.

— *Stasera non dormo*, não vou conseguir dormir esta noite, é o preço da poesia — disse ela, culpando os poemas pelo que certamente seria uma agitada noite de insônia.

Todos estavam suando, e a atmosfera de estufa, tanto dentro quanto fora da livraria, tinha se tornado insuportavelmente úmida.

— Pelo amor de Deus, abra a porta — gritou o poeta para o dono da livraria. — Estamos sufocando aqui.

O Sr. Venga pegou um pequeno calço de madeira, abriu a porta e prendeu-a contra a parede.

— Melhor? — perguntou de modo atencioso.

— Não. Mas pelo menos agora sabemos que a porta está aberta.

Oliver olhou para mim querendo perguntar *Você gostou?* Dei de ombros, como se guardasse a crítica para depois. Mas não estava sendo sincero; tinha gostado muito.

Talvez estivesse mesmo gostando da noite. Tudo nela me animava. Cada olhar que cruzava o meu era como um elogio, ou como um pedido e uma promessa que pairavam no ar entre mim e o mundo à minha volta. Eu estava eletrizado... pela provocação, pela ironia, pelos olhares, pelos sorrisos que pareciam gratos por minha existência, pelo ar dentro da livraria que agraciava tudo, da porta até os *petits fours*, até o encanto ocre-dourado dos copos de plástico cheios de uísque escocês, até as mangas arregaçadas do Sr. Venga, até o próprio poeta, descendo a escada em espiral em que havia se juntado às beldades... tudo parecia brilhar com o esplendor de uma vertiginosa excitação.

Eu invejava aquelas vidas e pensava na vida desprovida de libido dos meus pais com suas labutas prandiais tediosas, nossas vidas de bonecas em nossa casa de bonecas, e no meu último ano que se aproximava. Tudo parecia brincadeira de criança em comparação a isso. Por que ir embora para os Estados Unidos em um ano se eu podia muito bem passar o restante dos quatro anos longe frequentando leituras como aquela e sentando e conversando como alguns faziam agora? Havia mais a aprender naquela pequena livraria lotada do que em qualquer instituição poderosa do outro lado do Atlântico.

Um homem mais velho com uma barba cheia por fazer e uma barriga de Falstaff me trouxe um copo de uísque.

— *Ecco.*

— Para mim?

— É claro que é para você. Gostou dos poemas?

— Muito — respondi, tentando parecer irônico e fingido, não sei por quê.

— Sou padrinho dele e respeito sua opinião — disse o homem, como se tivesse percebido meu blefe, mas sem insistir. — Mas respeito mais sua juventude.

— Em alguns anos, prometo que não haverá mais juventude nenhuma — respondi, tentando simular a ironia resignada dos homens que já viveram o suficiente e, o que eu também queria demonstrar, se conhecem muito bem.

— Sim, mas eu não estarei mais aqui para perceber.

Ele estava me cantando?

— Então pegue — disse ele, me oferecendo o copo de plástico.

Hesitei antes de aceitar. Era a mesma marca de uísque que meu pai bebia em casa.

Lucia, que acabou ouvindo a conversa, falou:

— *Tanto*, um uísque a mais ou a menos não vai fazer com que você fique menos devasso do que é.

— Quem dera eu fosse devasso — respondi, virando para ela e ignorando Falstaff.

— Por quê? O que está faltando na sua vida?

— O que está faltando na minha vida? — Eu ia responder *Tudo*, mas me corrigi. — Amigos... todos parecem fazer amizade rápido aqui... eu queria ter amigos como os seus, como você.

— Você terá muito tempo para essas amizades. Amigos o salvariam da devassidão?

O termo reaparecia como a acusação de uma falha muito profunda e feia em meu caráter.

— Eu gostaria de ter um amigo que não estivesse destinado a perder.

Ela olhou para mim com um sorriso pensativo.

— Você está falando demais, meu amigo, e esta noite estamos nos concentrando apenas em poemas curtos.

Ela continuou me olhando e acrescentou:

— Sinto muito.

Ela levou a mão até meu rosto e fez um carinho triste e demorado, como se de repente eu fosse seu filho.

Amei isso também.

— Você é jovem demais para entender o que estou dizendo... mas um dia, logo, espero que nos falemos novamente, e então veremos se serei mulher o bastante para retirar a palavra que usei esta noite. *Scherzavo*, eu só estava brincando.

Um beijo na bochecha.

Que mundo era aquele. Ela tinha mais que o dobro da minha idade, mas eu poderia ter feito amor com ela naquele minuto e chorado com ela.

— Nós não vamos fazer um brinde? — gritou alguém de outro canto da livraria.

Havia uma confusão de sons.

Então aconteceu. Uma mão no meu ombro. Era de Amanda. E outra na minha cintura. Ah, eu conhecia tão bem aquela outra mão. Que ela não me largue esta noite. Eu idolatro cada dedo daquela mão, cada unha que você rói em cada dedo, meu querido, querido Oliver... não me largue ainda, pois preciso dessa mão aí. Um calafrio percorreu minhas costas.

— E eu sou a Ada — disse alguém quase como se pedisse desculpas, como se soubesse que demorou demais para vir até o nosso lado da livraria e agora estivesse compensando pela falha fazendo com que todos ali soubessem que ela era a Ada de quem certamente estavam falando.

Havia algo estridente e jovial em sua voz, ou no modo como ela demorava para dizer Ada, ou no fato de que ela parecia fazer pouco caso de tudo, lançamentos de livros, apresentações, amizades, e de repente me disse que, sem dúvida, naquela noite eu tinha entrado em um mundo encantado.

Eu nunca havia andado por aquele mundo. Mas o amei. E amaria ainda mais quando aprendesse a falar sua língua, pois era minha língua, uma forma de abordagem na qual os desejos mais profundos são proferidos como gracejos, não porque é mais seguro colocar um sorriso naquilo que tememos que possa chocar, mas porque as inflexões do desejo, de todo o desejo, naquele mundo novo no qual entrei, só poderiam ser transmitidas pela brincadeira.

Todos estavam disponíveis, viviam disponíveis — como a cidade — e partiam do princípio de que todos os outros também queriam ser assim. Eu desejava ser como eles.

O dono da livraria tocou uma campainha que ficava no balcão do caixa, e todos ficaram em silêncio.

O poeta falou.

— Eu não ia ler este poema hoje, mas porque *alguém* — ele alterou a voz — *alguém* o mencionou, não vou resistir. O título é "A síndrome de São Clemente". É, devo admitir, se é que um versista pode dizer isso do próprio trabalho, meu favorito.

(Mais tarde descobri que ele nunca se referia a si mesmo como poeta ou a suas obras como poesia.)

— Porque foi o mais difícil, porque me fez sentir uma saudade terrível de casa, porque me salvou na Tailândia, porque me explicou minha vida inteira — continuou. — Contava os dias e as noites com São Clemente na cabeça. A ideia de voltar a Roma sem terminar este longo poema me assustava mais do que ficar preso no aeroporto de Bangkok outra semana. E, no entanto, foi em Roma, onde moramos a menos de duzentos metros da Basílica de São Clemente, que dei os toques finais a um poema que, ironicamente, comecei uma eternidade antes em Bangkok exatamente porque Roma parecia estar a galáxias de distância da Tailândia.

Enquanto ele lia o longo poema, comecei a pensar que, ao contrário dele, sempre encontrei um modo de evitar contar os dias. Iríamos embora em três dias... então, o que quer que eu tivesse com Oliver estava destinado a se dissolver no ar. Tínhamos falado de nos encontrarmos nos Estados Unidos, e de trocar cartas e conversar por telefone, mas tudo isso tinha uma característica misteriosamente surreal mantida intencionalmente opaca por nós dois... não porque quiséssemos deixar que os acontecimentos nos pegassem de surpresa para que pudéssemos culpar as circunstâncias e não a nós mesmos, mas porque, ao não planejar manter as coisas vivas, evitávamos a perspectiva de que elas poderiam morrer. Fomos a Roma com o mesmo espírito de evasão: Roma seria um último gozo antes que a escola e a viagem nos separassem, um jeito de adiar as coisas e estender a festa muito além da hora de seu fim. Talvez, sem pensar, aquilo fosse mais do que férias breves; estávamos fugindo juntos com passagens de volta para destinos diferentes.

Talvez fosse um presente para mim.

Talvez fosse um presente do meu pai para nós dois.

Eu seria capaz de viver sem sua mão na minha barriga? Sem o pêssego? Sem beijar e lamber uma ferida em sua cintura que ainda levaria semanas para sarar, mas longe de mim? A quem mais eu poderia chamar pelo meu nome?

Viriam outros, é claro, e outros depois dos outros, mas chamar alguém pelo meu nome em um momento de paixão seria uma emoção derivada, uma simulação.

Eu me lembrei do armário vazio e da mala feita ao lado de sua cama. Em breve, eu dormiria no quarto de Oliver. Dormiria com sua camisa, deitaria com ela ao meu lado, usaria como pijama.

Depois da leitura, mais aplausos, mais sociabilidade, mais bebidas. Logo estaria na hora de fechar a loja. Eu me lembrei de Marzia quando a livraria em B. estava fechando. Tão distante, tão diferente. Como Marzia tinha se tornado tão irreal...

Alguém disse que deveríamos sair para jantar todos juntos. Éramos mais ou menos trinta. Outra pessoa sugeriu um restaurante com vista para o lago Albano. Um restaurante com vista para a noite estrelada e para o lago surgiu na minha mente como algo saído de um livro ilustrado do fim da Idade Média. Não, muito longe, disse alguém. Sim, mas as luzes no lago à noite...! As luzes no lago à noite terão que ficar para outro dia. Por que não algum lugar na via Cassia? Sim, mas não resolvia o problema dos carros: não havia lugar para todos. Claro que havia carros suficientes, e se tivéssemos que sentar no colo uns dos outros por alguns minutos, alguém se importaria? É claro que não. Principalmente se for ao lado dessas duas beldades. Sim, mas e se Falstaff for sentado no colo das beldades?

Eram apenas cinco carros, e todos estavam estacionados em diferentes ruelas perto da livraria. Como não conseguiríamos partir em um grande grupo, combinamos de nos encontrar em algum lugar da Ponte Milvio. De lá subiríamos a via Cassia até a *trattoria* cujo endereço exato alguém, e ninguém mais, sabia.

Chegamos mais de quarenta minutos depois, menos do que o tempo necessário para chegar ao Albano, onde as luzes do lago à noite... O lugar era uma *trattoria* grande ao ar livre com toalhas xadrez e velas parcamente espalhadas entre as mesas. Deviam ser onze horas. O ar ainda estava bastante úmido. Dava para ver isso em nossos rostos e em nossas roupas, pois parecíamos molengas e encharcados. Até as toalhas de mesa pareciam moles e encharcadas. Mas o restaurante ficava em um morro e às vezes uma corrente de ar atravessava as árvores, o que queria dizer que no dia seguinte choveria, mas o calor úmido permaneceria.

A garçonete, uma mulher de quase sessenta anos, contou rapidamente quantos éramos e pediu aos ajudantes que arrumassem as mesas em formato de ferradura com cadeiras dos dois lados, o que foi feito imediatamente. Então disse o que serviriam de comida e bebida. Graças a Deus não precisamos decidir, porque se ele fosse escolher o que comer, disse a mulher do poeta, ficaríamos aqui mais uma hora e acabaria toda a comida da cozinha. Ela citou uma longa lista de antepastos, que se materializaram antes do que o esperado, seguidos por pão, vinho, água mineral, *frizzante* e *naturale*. À vontade, explicou ela. À vontade é o que queremos, reafirmou o editor.

— Este ano, estamos no vermelho mais uma vez.

Mais um brinde ao poeta. Ao editor. Ao dono da livraria. À esposa, às filhas, a quem mais?

Risadas e camaradagem. Ada fez um pequeno discurso improvisado — bom, nem tão improvisado assim, admitiu. Falstaff e o Tucano admitiram estar envolvidos no ato. O *tortellini* ao molho branco chegou mais de meia hora depois. Decidi não beber vinho porque os dois uísques que tinha bebido de um só gole estavam começando a fazer efeito. As três irmãs estavam sentadas entre nós, e todos no nosso banco estavam bem próximos. O paraíso.

Segundo prato bem depois: assado, ervilhas. Salada.

Em seguida, queijos.

Uma coisa levou à outra e começamos a falar de Bangkok.

— Todos são lindos, mas lindos de uma maneira excepcionalmente híbrida e mestiça, e foi por isso que quis ir para lá — disse o poeta. — Não são asiáticos, nem caucasianos, e euroasiáticos seria um termo muito simplório. São exóticos no sentido mais puro da palavra, mas não são estranhos. São pessoas que reconhecemos imediatamente, embora nunca as tenhamos visto, e não há palavras para o que causam em nós nem para o que parecem querer de nós. No início achei que eles pensavam de um jeito diferente. Depois percebi que sentem de um jeito diferente. Depois, que eram indescritivelmente doces, doces como não conseguimos imaginar que alguém seja por aqui. Ah, podemos ser gentis, amáveis e muito, muito calorosos à nossa maneira mediterrânea ensolarada e apaixonada, mas eles são doces, abnegadamente doces, doces em seus corações, doces em seus corpos, doces sem nenhum toque de mágoa ou malícia, doces como crianças, sem ironia ou vergonha. Senti vergonha do que sentia por eles. Aquilo poderia ser o paraíso, exatamente como eu havia fantasiado. O recepcionista da noite do meu hotel barato, que tinha vinte e quatro anos e usava um boné sem aba, já tinha visto todos os tipos passarem por ali e ficou me olhando, e eu olhando para ele. Ele tem características femininas. Mas parece uma menina que parece um menino. A garota no balcão da American Express olha para mim e eu olho de volta. Ela parece um menino que parece uma menina e que, portanto, é apenas um menino. Os mais jovens, homens e mulheres, sempre riem quando olho para eles. Até mesmo a menina no consulado que fala milanês fluente e os alunos que esperam na mesma hora de todas as manhãs pelo mesmo ônibus olham para mim, e eu olho de volta... todos esses olhares significam o que eu acho que significam, porque, gostemos ou não, quando se trata dos sentidos, todos os humanos falam a mesma língua bestial.

Uma segunda rodada de grapa e sambuca.

— Eu queria dormir com toda a Tailândia. E toda a Tailândia, pelo que parecia, estava flertando comigo. Não era possível dar um passo sem quase bater em alguém.

— Aqui, beba um gole dessa grapa e me diga se não é obra de uma bruxa — interrompeu o dono da livraria.

O poeta permitiu que o garçom servisse mais um copo. Desta vez, bebeu devagar. Falstaff bebeu de um só gole. *Straordinario-fanstatico* mandou para dentro. Oliver estalou os lábios. O poeta disse que fazia voltar à juventude.

— Gosto de beber grapa à noite, me sinto revigorado. Mas você — olhou para mim — não entenderia. Na sua idade, meu Deus, vigor é a última coisa de que você precisa.

Ele me observou beber parte do conteúdo do copo.

— Sentiu?
— Senti o quê? — perguntei.
— O vigor.

Bebi mais um gole.

— Na verdade, não.
— Na verdade, não — repetiu ele com um olhar intrigado e decepcionado.

— É porque, na idade dele, já está lá o vigor — afirmou Lucia.

— Verdade — disse alguém. — Seu "vigor" só funciona para os que já não o têm mais.

O poeta:

— Não é difícil encontrar vigor em Bangkok. Em uma noite quente no meu quarto de hotel pensei que fosse ficar louco. Era a solidão, ou os sons das pessoas lá fora, ou obra do diabo. Mas foi quando comecei a pensar em São Clemente. A imagem me veio como um sentimento nebuloso e indefinido, parte excitação, parte saudade de casa, parte metáfora. Você viaja a um lugar porque tem uma imagem dele e quer se unir ao país inteiro. Então descobre que não tem nada em comum com os nativos. Não entende os sinais básicos que sempre pensou que toda a humanidade compartilhasse. Decide que foi um erro, que era coisa da sua cabeça.

Então vai mais fundo e descobre que, apesar das suspeitas razoáveis, você ainda deseja todos eles, mas não sabe exatamente o que quer deles, ou o que eles parecem querer de você, porque todos eles também, no fim das contas, olham para você com o que só pode ser uma coisa em mente. Mas você diz a si mesmo que está imaginando coisas. E está pronto para fazer as malas e voltar para Roma porque todos esses sinais incertos são enlouquecedores. Mas então algo se encaixa de repente, como uma passagem subterrânea secreta, e você percebe que, assim como você, eles também o desejam desesperadamente. E o pior é que, com toda sua experiência, sua ironia e sua capacidade de superar a timidez sempre que ela ameace surgir, você se sente completamente perdido. Eu não conhecia a língua deles, não conhecia a língua de seus corações, nem mesmo conhecia a minha própria. Eu via algo velado em todos os lugares: o que eu queria, o que não sabia que queria, o que não queria saber que queria, o que sempre soube que queria. É um milagre. Ou é o inferno.

"Chamei de síndrome de São Clemente. A Basílica de São Clemente atual foi construída no local onde antes era um refúgio para cristãos perseguidos. Lar do cônsul romano Tito Flávio Clemente, foi incendiada durante o reinado do imperador Nero. Próximo aos restos carbonizados, no que há de ter sido uma cripta grande e cavernosa, os romanos construíram um templo pagão subterrâneo dedicado a Mitra, Deus da Manhã, Luz do Mundo, sobre o qual os primeiros cristãos construíram outra igreja, dedicada (coincidentemente ou não, é um assunto que deve ser analisado com mais profundidade) a outro Clemente, o papa Clemente, sobre a qual ainda foi construída outra igreja que foi incendiada e sobre a qual hoje se encontra a basílica. E a escavação poderia seguir. Como o subconsciente, como o amor, como a memória, como o próprio tempo, como cada um de nós, a igreja foi construída sobre as ruínas de restaurações subsequentes, não há fundo definitivo, não há o primeiro de nada, apenas camadas e passagens secretas e câmaras interligadas, como as catacumbas cristãs e, logo ao lado, uma catacumba judaica. Mas, como diria Nietzsche, meus amigos, eu lhes dei a moral antes do conto.

— Alfredo, meu amor, seja breve.

A gerência do restaurante percebeu que não iríamos embora tão cedo, e mais uma vez serviu grapa e sambuca como cortesia para todos.

— Então, naquela noite quente em que pensei estar enlouquecendo, estou sentado no bar barato do meu hotel barato, e quem está sentado na mesa bem ao meu lado é o recepcionista da noite, com aquele estranho boné sem aba. De folga?, pergunto. De folga, responde ele. Por que não vai para casa então? Eu moro aqui. Só estou tomando um drinque antes de me recolher. Olho para ele. E ele olha para mim. Sem deixar que se passe mais um instante, ele pega o copo com uma mão, o decantador com a outra... eu achei que tivesse me intrometido e ofendido o rapaz, e que ele quisesse ficar sozinho e estivesse se mudando para outra mesa longe da minha... quando, de repente, ele vem até a minha mesa e se senta à minha frente. Quer experimentar um pouco?, pergunta. Claro, por que não, penso, quando em Roma, quando na Tailândia... É claro, ouvi todo tipo de histórias, então imagino que há algo de suspeito e potencialmente desagradável na situação, mas decido me deixar levar. Ele estala os dedos e, com um ar ditatorial, pede um copo para mim. É atendido no ato. Beba um gole. Talvez eu não goste, respondo. Beba mesmo assim. Ele serve um pouco no meu copo e um pouco no dele. A fermentação é deliciosa. O copo é um pouco maior que o dedal que minha avó usava quando costurava meias. Beba mais um gole, só para garantir. Mando mais um para dentro também. É claro. Lembra um pouco a grapa, mais forte, mas menos ácido. O tempo todo, o recepcionista da noite fica olhando para mim. Não gosto que me olhem com tanta intensidade. Seu olhar começa a se tornar insuportável. Quase posso sentir o início de uma risadinha. Você está me encarando, finalmente digo. Eu sei. Por que está me encarando? Ele inclina o corpo em direção ao meu lado da mesa: Porque gosto de você. Olha só, começo a responder. Beba mais um gole. Serve o copo dele e o meu. Deixe-me dizer o seguinte: eu não... Mas ele não me deixa terminar. Mais um motivo para você beber mais um gole. Minha mente faz soar diversos alarmes. Eles o embebedam, o levam para algum lugar, roubam tudo o que você tem e quando você reclama para a polícia, que não é menos corrupta que os ladrões, fazem todo tipo de alegação sobre você e têm fotos para provar. Outra preocupação me invade: a conta do bar pode se revelar astronômica enquanto aquele que está fazendo os pedidos bebe chá e finge ficar bêbado. Truque mais antigo do mundo... eu nasci ontem por acaso? Não estou interessado. Por favor, vamos só... Beba mais um. Ele sorri. Estou prestes a repetir meu protesto cansado, mas já posso ouvi-lo dizer Beba mais um. Estou quase começando a rir. Ele vê minha risada, não se importa com o motivo pelo qual estou rindo, o importante é que estou rindo. Agora serve um para si mesmo. Olha só, amigo, espero que você não ache que vou pagar por essas bebidas. Meu eu burguês finalmente fala. Conheço todas essas delicadezas que sempre, sempre acabam tirando vantagem de estrangeiros. Não pedi que você pagasse as bebidas. Nem, já que estamos falando nisso, que me pagasse. Ironicamente, ele não se ofende. Acho que esperava aquilo. Deve ter feito isso um milhão de vezes... ossos do ofício, provavelmente. Aqui, beba mais um gole... em nome da amizade. Amizade? Você não precisa ter medo de mim. Não vou dormir com você. Talvez não, talvez sim. A noite é uma criança. E eu não desisti. Então ele tira o boné e solta tanto cabelo que não consigo entender como tudo aquilo podia ser enrolado e preso embaixo de um boné tão pequeno. Ele era mulher. Decepcionado? Não, pelo contrário. Os pulsos minúsculos, o ar tímido, a pele mais macia que o mundo já viu, uma ternura que parecia escorrer de seus olhos, não com a ousadia dos que já viveram o suficiente, mas com as promessas mais encantadoras de doçura e castidade total na cama. Se eu estava decepcionado? Talvez... porque o incômodo da situação tinha se dissipado. Então veio uma mão que tocou meu rosto e ficou ali, como se quisesse aliviar o choque e a surpresa. Melhor agora? Assenti com a cabeça. Você precisa de mais um gole. E você também, falei, servindo a bebida desta vez. Perguntei por que ela induzia as pessoas a acreditarem que ela era um homem. Esperava ouvir É mais seguro para o trabalho, ou algo um pouco mais lascivo, como *Por momentos como este*. Então veio a risada, dessa vez de verdade, como se ela tivesse feito uma pegadinha e não estivesse nem um pouco decepcionada ou surpresa com o resultado. Mas eu sou homem, disse ela. Meneou a cabeça diante da minha descrença, como se o próprio gesto fizesse parte da pegadinha. Você é homem? perguntei, não menos decepcionado do que quando descobri que ela era mulher. Receio que sim. Com os dois cotovelos sobre a mesa, ele inclinou o corpo para a frente, quase tocando meu nariz com a ponta do seu, e disse: Gosto muito de você, Signor Alfredo. E você também gosta de mim, muito... e o mais belo nisso tudo é que nós dois sabemos disso. Fiquei olhando para ele, para ela, não sei. Mais um gole, falei. Era o que eu ia sugerir, disse meu amigo levado. Você quer que eu seja homem ou mulher? Perguntou ela/ele, como se fosse possível voltar estágios em nossa árvore filogenética. Eu não sabia o que responder. Queria dizer Quero você como *intermezzo*. Então disse, Quero os dois, ou algum meio-termo. Ele pareceu surpreso. Danadinho, danadinho, disse, como se eu tivesse conseguido chocá-lo com algo pervertido pela primeira vez naquela noite. Quando ela se levantou para ir ao banheiro, percebi que estava de vestido e sapatos de salto alto. Não pude deixar de olhar para a pele mais encantadora dos seus calcanhares igualmente encantadores. Ela sabia que mais uma vez eu estava pasmo e deu uma risada sincera. Você cuida da minha bolsa?, pediu. O pedido deve ter vindo porque ela sentiu que se não pedisse que eu cuidasse de alguma coisa sua, eu provavelmente pagaria a conta e deixaria o bar. Isso, em poucas palavras, é o que eu chamo de síndrome de São Clemente.

Aplausos. Aplausos afetuosos. Não gostávamos apenas da história, mas do homem que a contava.

— *Evviva il sindromo di San Clemente* — disse *Straordinario-fantastico*.

— *Sindromo* não é masculino, é feminino, *la sindrome* — corrigiu alguém que estava sentado ao lado dela.

— *Evviva la sindrome di San Clemente* — aclamou alguém que claramente estava ansioso para gritar alguma coisa.

Tinha chegado muito tarde para o jantar, gritando em bom dialeto romano *lassatece passà*, deixem-nos passar, para os donos do restaurante como forma de anunciar sua chegada. Todos já tinham começado a comer havia um tempo. Tinha virado na rua errada perto da Ponte Milvio. Depois não conseguia achar o restaurante etc. Como resultado, perdeu os dois primeiros pratos. Agora estava sentado no canto da mesa e, como os outros que tinham vindo da livraria com ele, comia os últimos queijos que ainda restavam no restaurante. Isso e dois flãs para cada um, porque era tudo o que tinha restado. Compensou a falta de comida com muito vinho. Ouviu a maior parte do discurso do poeta sobre São Clemente.

— Acho todo esse papo sobre São Clemente bem charmoso, e gosto da ideia de que a vida às vezes é gentil o suficiente a ponto de oferecer metáforas funcionais para nos ajudar a ver quem somos, o que queremos, para onde estamos indo. Mas uma metáfora é uma coisa, e a vida é totalmente outra. Talvez a metáfora real não seja São Clemente, mas a Tailândia... no entanto, posso estar errado, e bebi demais.

— *Evviva!* — interrompeu Amanda, brindando o retardatário, um esforço desesperado de fazê-lo calar a boca.

— *Evviva!* — brindaram todos.

— É bom escrever outro livro de poemas... e logo — disse *Straordinario-fanstatico*.

Alguém sugeriu uma sorveteria próxima ao restaurante. Não, sem sorvete, vamos direto para o café. Todos nos espremamos nos carros e seguimos pela Lungotevere, em direção ao Panteão.

No carro, eu estava feliz. Mas fiquei pensando na Basílica e na semelhança com aquela noite, uma coisa levando à outra, e à outra, e a algo completamente inesperado, e quando pensamos que o ciclo secou nasce algo novo, e depois disso outra coisa, até percebermos que talvez tenhamos voltado ao início, ao centro da velha Roma, para onde estávamos de fato nos dirigindo. Um dia antes, fomos nadar ao luar. Agora estávamos aqui. Em alguns dias ele iria embora. Se eu pudesse voltar exatamente um ano no tempo... Enlacei meu braço no de Oliver e me encostei em Ada. Peguei no sono.

Já passava da uma da manhã quando o grupo chegou ao Caffè Sant'Eustachio. Pedimos cafés para todos. Pensei que soubesse por que todos juram pelo café de Sant'Eustachio; ou talvez quisesse acreditar que sabia, mas não tinha certeza. Eu nem sabia se gostava dele. Talvez os outros também não gostassem, mas se sentissem obrigados a concordar com a opinião geral e afirmar que também não podiam viver sem ele. Havia uma multidão de consumidores de café em pé e sentados em volta da famosa cafeteria romana. Eu amava ver todas aquelas pessoas com roupas leves tão próximas de mim, todas compartilhando a mesma coisa elementar: o amor pela noite, o amor pela cidade, o amor por seu povo e um desejo ardente por união... com qualquer pessoa. Amor por tudo que evitasse que os pequenos grupos ali reunidos se dispersassem. Depois do café, quando nosso grupo considerou se separar, alguém disse:

— Não, não podemos nos despedir ainda.

Alguém sugeriu um bar perto dali. A melhor cerveja de Roma. Por que não? Então descemos uma longa e estreita ruela que levava em direção ao Campo de'Fiori. Lucia foi andando entre mim e o poeta. Oliver, conversando com as duas irmãs, atrás de nós. O velho tinha feito amizade com a *Straordinario-fanstatico* e os dois estavam confabulando sobre São Clemente.

— Que metáfora sobre a vida! — disse *Straordinario-fanstatico*.

— Ah, por favor! Não há necessidade de exagerar as coisas clementificando isso e clementizando aquilo. Era só uma figura de linguagem, sabe... — disse Falstaff, que provavelmente já estava farto da glória do afilhado naquela noite.

Ao perceber que Ada caminhava sozinha, voltei um pouco e segurei sua mão. Ela estava toda de branco, e sua pele bronzeada tinha um brilho que me fazia querer tocar cada poro de seu corpo. Não conversamos. Fiquei ouvindo seus saltos batendo no chão de ardósia. No escuro, era como uma aparição.

Eu queria que a caminhada nunca terminasse. A ruela silenciosa e deserta estava escura, e seu pavimento antigo e esburacado brilhava no ar úmido, como se um vendedor de outrora tivesse despejado ali o conteúdo viscoso de sua ânfora antes de ir para casa. Todos já tinham deixado Roma. E a cidade vazia, que tinha visto tantos e todos, agora pertencia somente a nós e ao poeta que a tinha moldado, pelo menos por uma noite, à sua própria imagem. O calor úmido não daria trégua naquela noite. Poderíamos, se quiséssemos, ter andado em círculos e ninguém teria percebido ou se importado.

Enquanto percorríamos um labirinto vazio de ruas escassamente iluminadas, próximo ao lugar onde Michelangelo conheceu Tommaso dei Cavalieri em um prédio que não existe mais, comecei a me perguntar o que todo aquele papo sobre São Clemente tinha a ver conosco — como nos movemos no tempo, como o tempo se move através de nós, como mudamos e seguimos mudando e voltamos a ser os mesmos. É possível até mesmo envelhecer e não aprender nada a respeito disso. Essa era a lição do poeta, imagino. Daqui a mais ou menos um mês, quando eu voltar a Roma, ter estado aqui com Oliver esta noite parecerá totalmente irreal, como se tivesse acontecido com uma versão minha completamente diferente. E o desejo nascido três anos antes, quando o garoto de recados se ofereceu para me levar a um cinema barato famoso pelo que acontecia lá dentro, não me pareceria menos realizado dali a três meses do que fora três anos antes. Veio. Foi. Nada mais tinha mudado. Eu não tinha mudado. O mundo não tinha mudado. Ainda assim, nada seria igual. Tudo o que nos resta é o sonho e a estranha recordação.

O bar estava fechando quando chegamos.

— Fechamos às duas.

— Bom, ainda temos tempo para bebidas.

Oliver queria um martíni, um martíni americano.

Que bela ideia, disse o poeta.

— Eu também — pediu mais alguém.

O grande jukebox tocava o mesmo hit do verão que ouvimos durante todo o mês de julho. Ao ouvir a palavra "martíni", o velho e o editor também repetiram o pedido.

— *Ei! Taverniere!* — gritou Falstaff.

O garçom disse que poderíamos beber vinho ou cerveja; o barman tinha ido embora mais cedo naquela noite por causa de que sua mãe tinha sido levada muito doente para o hospital e para onde teve que ser levada. Todos sufocaram uma risada. Oliver perguntou quanto eles cobravam pelo martíni. O garçom gritou a pergunta para a garota na caixa. Ela respondeu o valor.

— Bom, e se eu fizer os drinques e você cobrar o seu preço por causa de que podemos fazer os drinques que fazemos?

Houve hesitação por parte do garçom e da caixa. O dono já tinha ido embora fazia tempo.

— Por que não? — perguntou a garota. — Se você sabe fazer, *faccia pure*, vá em frente.

Rodada de aplausos para Oliver, que foi até o bar e, em questão de segundos, depois de adicionar gelo e um pouco de vermute ao gim, agitava vigorosamente a coqueteleira. Não foram encontradas azeitonas no frigobar que ficava atrás do balcão. A caixa veio verificar e surgiu com uma tigela.

— Azeitonas — disse ela, encarando Oliver, como se dissesse *Estavam bem debaixo do seu nariz... você procurou mesmo? Mais alguma coisa?*

— Talvez eu possa convencê-la a aceitar um martíni — disse ele.

— Tem sido uma noite louca. Um drinque não seria capaz de deixá-la mais louca. Faça um pequeno.

— Quer que eu ensine?

Ele começou a explicar as complexidades de um dry martíni. Não se incomodava com o fato de ser barman do barman.

— Onde você aprendeu isso? — perguntei.

— Drincologia I, cortesia de Harvard. Nos fins de semana, trabalhei como barman enquanto estudava lá. Depois virei chef, e depois fiz bufês para eventos. Mas sempre fui jogador de pôquer.

Sempre que falava dos anos de faculdade, Oliver emanava um brilho mágico incandescente, como se pertencessem a outra vida, uma vida à qual eu não tinha acesso porque já pertencia ao passado. Provas de sua existência apareciam, como agora, em sua habilidade de preparar drinques, ou de diferenciar grapas, ou de conversar com todas as mulheres, ou nos misteriosos envelopes quadrados endereçados a ele que chegavam à nossa casa, vindos de todas as partes do mundo.

Nunca invejei seu passado ou me senti ameaçado por ele. Todas essas facetas de sua vida tinham o caráter misterioso daquilo que havia acontecido na vida do meu pai muito antes do meu nascimento, mas que ainda ressoavam no presente. Eu não invejava a vida que veio antes de mim, nem desejava voltar no tempo para a época em que ele tinha minha idade.

Éramos no máximo quinze pessoas agora e ocupávamos uma das grandes mesas de madeira rústica. O garçom anunciou a última chamada uma segunda vez. Em dez minutos, os outros grupos foram embora. O garçom já tinha começado a baixar a porta de metal, por causa de que era hora da *chiusura*. O jukebox foi sumariamente desligado. Se cada um de nós continuasse falando, ficaríamos ali até o nascer do sol.

— Eu choquei você? — perguntou o poeta.

— Eu? — perguntei, sem saber por que dentre todas as pessoas da mesa ele se dirigia a mim.

Lucia olhou para nós.

— Alfredo, receio que ele saiba mais do que você sobre a corrupção da juventude. *È un dissoluto assoluto* — entoou, agora com a mão no meu rosto como de costume.

— O poema é sobre uma coisa e nada mais — disse *Straordinario-fanstatico*.

— São Clemente na verdade é sobre quatro coisas... no mínimo — retrucou o poeta.

Terceira última chamada.

— Ouça — disse o dono da livraria ao garçom —, por que não nos deixa ficar? Colocamos a mocinha em um táxi quando formos embora. E pagamos. Mais uma rodada de martínis?

— Como quiserem — respondeu o garçom, tirando o avental. Tinha desistido de nós. — Vou para casa.

Oliver veio até mim e pediu que eu tocasse algo no piano.

— O que você quer ouvir? — perguntei.

— Qualquer coisa.

Seria meu agradecimento pela noite mais linda da minha vida. Bebi um gole do meu segundo martíni, sentindo-me tão decadente quanto um pianista de jazz que fuma e bebe demais, e é encontrado morto na sarjeta no final de todo filme.

Eu queria tocar Brahms, mas um instinto me disse para tocar algo bem calmo e contemplativo. Então toquei uma das Variações de Goldberg, que fazia eu me sentir assim. Ouvi um suspiro entre os mais ou menos quinze, o que me agradou, pois era a única forma que eu tinha de retribuir pela noite mágica.

Quando pediram que eu tocasse outra coisa, propus um *capriccio* de Brahms. Todos concordaram que era uma ótima ideia, até que o diabo tomou conta de mim e, depois de tocar as notas de abertura do *capriccio*, do nada, comecei a tocar um *stornello*. O contraste os pegou de surpresa e todos começaram a cantar, mas não em uníssono, pois cada um cantava o *stornello* que conhecia. Concordamos em cantar, cada vez que voltássemos ao refrão, as mesmas palavras que Oliver e eu tínhamos ouvido Dante, a estátua, recitar mais cedo. Todos estavam em êxtase, e pediam que eu tocasse outra, e mais uma. *Stornelli* romanos costumam ser canções indecentes, não lembram em nada as árias tristes e dilacerantes de Nápoles. Depois do terceiro, olhei para Oliver e disse que queria sair para respirar um pouco de ar fresco.

— O que foi, ele não está se sentindo bem? — perguntou o poeta a Oliver.

— Não, só precisa de um pouco de ar. Por favor, não se mexam.

A caixa se abaixou e, com um braço, levantou a porta de metal. Passei por debaixo da porta parcialmente aberta e de repente senti uma corrente de ar fresco na ruela vazia.

— Podemos caminhar um pouco? — perguntei a Oliver.

Andamos pela ruela escura, exatamente como duas sombras em Dante, a mais jovem e a mais velha. Ainda fazia muito calor, e vi a luz de um poste brilhar na testa de Oliver. Entramos em outra ruela extremamente calma, e em outra, como se atraídos por aquelas ruas mágicas imaginárias e viscosas que pareciam levar a um reino diferente e distante em que entramos maravilhados e em estupor. Tudo o que eu ouvia eram os gatos noturnos e o barulho de água corrente próximo dali. Uma fonte de mármore ou uma das inúmeras *fontanelle* públicas encontradas por toda a Roma.

— Água — arfei. — Não sirvo para martínis. Estou muito bêbado.

— Você não devia ter bebido nenhum. Bebeu uísque, vinho, grapa e agora gim.

— Lá se foi a expectativa sexual da noite.

Ele riu.

— Você está pálido.

— Acho que vou vomitar.

— O melhor remédio é fazer acontecer.
— Como?
— Se abaixe e enfie o dedo na garganta.
Balancei a cabeça. De jeito nenhum.
Encontramos uma lata de lixo na calçada.
— Vomite aqui dentro.
Eu costumava evitar vomitar. Mas estava com muita vergonha de ser infantil naquele momento. Também não me sentia à vontade com a ideia de vomitar na frente dele. Não tinha certeza de que Amanda não havia vindo atrás de nós.
— Aqui, se abaixe, eu seguro sua cabeça.
Eu resistia.
— Vai passar. Tenho certeza.
— Abra a boca.
Abri a boca. Antes que pudesse me dar conta, vomitei assim que ele tocou minha úvula.
Mas que consolo ter alguém segurando minha cabeça, que coragem generosa segurar a cabeça de alguém enquanto esse alguém vomita. Será que eu seria capaz de fazer o mesmo por ele?
— Acho que acabou — falei.
— Vamos ver se não vai sair mais.
E então mais um jato trouxe o restante da comida e da bebida da noite.
— Você não mastiga as ervilhas? — perguntou ele, sorrindo.
Como eu amava o modo como ele tirava sarro de mim.
— Só espero não ter sujado seus sapatos.
— Não são sapatos, são sandálias.
Nós dois caímos na gargalhada.

Quando olhei em volta, percebi que tinha vomitado perto de estátua de Pasquino. Era a minha cara vomitar bem na frente do satírico mais venerado de Roma.

— Juro, vi ervilhas que nem tinham sido mordidas e poderiam alimentar as crianças da Índia.

Mais risadas. Lavei o rosto e enxaguei a boca com a água da fonte.

Bem na nossa frente, vimos a estátua humana de Dante de novo. O homem tinha tirado a capa, e seu cabelo preto e longo estava solto. Deve ter suado três quilos naquela roupa. Agora estava discutindo com a estátua da rainha Nefertiti, que também tinha tirado a máscara e estava com o cabelo molhado de suor.

— Vou buscar minhas coisas hoje e boa noite e passar bem.

— Passar bem você também, e *vaffanculo*.

— *Fanculo* você, *e poi t'inculo*.

E ao dizer isso Nefertiti jogou um punhado de moedas em Dante, que desviou delas, embora uma tenha acertado seu rosto.

— *Aiiiio* — gritou.

Por um instante achei que eles iam partir para as vias de fato.

Voltamos por outra ruela igualmente escura, deserta e reluzente, então pegamos a via Santa Maria dell'Anima. Acima de nós, uma lâmpada quadrada presa a um velho prédio de esquina emitia uma luz fraca. Nos velhos tempos, provavelmente havia uma lamparina em seu lugar. Parei, e ele também parou.

— O dia mais lindo da minha vida e eu acabo vomitando.

Ele não estava ouvindo. Encostou meu corpo contra a parede e começou a me beijar, pressionando o quadril no meu, seus braços quase me tirando do chão. Meus olhos estavam fechados, mas percebi que ele parou de me beijar para olhar em volta; pessoas poderiam estar passando. Eu não quis olhar. Ele que se preocupasse com isso. E, com os olhos ainda fechados, acho que ouvi duas vozes, vozes de homens mais velhos, resmungando algo como olhe só para esses dois, se perguntando se antigamente veriam uma coisa dessas. Mas eu não queria pensar neles. Não me preocupei. Se ele não estava preocupado, eu também não estava. Poderia passar o resto da vida assim: com ele, à noite, em Roma, meus olhos completamente fechados, uma perna enroscada na dele. Pensei em voltar a este lugar nas semanas ou meses seguintes... pois era nosso lugar.

Quando voltamos ao bar, todos já tinham ido embora. Já deviam ser três da manhã, ou mais. Com exceção dos carros, a cidade estava morta. Quando, por engano, chegamos à sempre lotada Piazza Rotonda onde fica o Panteão, ela também estava estranhamente vazia. Havia alguns turistas carregando mochilas enormes, alguns bêbados e os traficantes de sempre. Oliver parou um vendedor de rua e me comprou uma Lemonsoda. O gosto azedo do limão era refrescante e fez com que eu me sentisse melhor. Oliver comprou uma bebida de laranja amarga e uma fatia de melancia. Ele me ofereceu uma mordida, mas eu não quis. Como era maravilhoso caminhar meio bêbado com uma Lemonsoda em uma noite quente e úmida como aquela nos paralelepípedos de ardósia de Roma com o braço de alguém em volta de mim. Viramos à esquerda e, caminhando em direção à Piazza Febo, de repente, do nada, escutamos alguém tocando violão e cantando não um rock, mas uma velha canção napolitana. *"Fenesta ca lucive."* Demorei um pouco para reconhecê-la. Então lembrei.

Mafalda havia me ensinado aquela canção anos antes, quando eu era criança. Era sua canção de ninar. Eu mal conhecia Nápoles e, além dela e de seus familiares, e de algumas visitas casuais com meus pais à cidade, nunca tive contato com napolitanos. Mas a melodia dolorosa da canção trouxe uma nostalgia tão poderosa por amores e coisas perdidas no decorrer da vida e de vidas tão anteriores à minha que de repente fui levado ao universo pobre e desolado de um povo simples como os ancestrais de Mafalda, andando apressados pelos *vicoli* minúsculos de uma Nápoles antiga cuja memória eu agora queria compartilhar palavra por palavra com Oliver, como se ele também, do mesmo modo que Mafalda, Manfredi, Anchise e eu, fosse um conterrâneo do sul que conheci em um porto estrangeiro e que imediatamente entendeu por que o som daquela velha canção, como uma oração antiga pelos mortos na mais morta das línguas, podia levar às lágrimas mesmo aqueles que não entendiam uma só sílaba.

A canção lembrava o hino nacional israelense, disse ele, ou era inspirada pelo *Moldau*? Pensando bem, pode ser uma ária da *Sonnambula* de Bellini. Estava chegando perto, mas ainda não era isso, falei, embora a canção fosse frequentemente atribuída a Bellini. Estamos *clementizando*, disse ele.

Traduzi as palavras do napolitano para o italiano e para o inglês. É sobre um jovem que passa pela janela de sua amada e acaba sabendo, por sua irmã, que Nennélla morreu. *Da boca onde um dia nasceram flores surgem apenas vermes. Adeus janela, pois minha Nenna nunca mais aparecerá.*

Um turista alemão, que parecia estar sozinho e também bastante bêbado, ouviu quando traduzi a canção para o inglês e se aproximou, implorando em um inglês hesitante que eu tivesse a gentileza de traduzir as palavras para o alemão também. No caminho para o hotel, ensinei a Oliver e ao alemão a cantar o refrão, que nós três repetimos inúmeras vezes, nossas vozes reverberando nas ruelas estreitas e úmidas da velha Roma enquanto cada um de nós mutilava o napolitano à sua maneira. Finalmente nos despedimos do alemão na Piazza Navona. Ao seguir para o hotel, Oliver e eu começamos a cantar o refrão mais uma vez, baixinho:

*Chiagneva sempe ca durmeva sola,
mo dorme co' li muorte accompagnata.*

Ela sempre chorava por dormir sozinha,
agora dorme entre os mortos.

Ainda penso ouvir, anos e anos depois, a voz de dois jovens cantando essas palavras em napolitano ao amanhecer, sem se darem conta, enquanto se abraçavam e se beijavam diversas vezes nas ruas escuras da velha Roma, que aquela seria uma das últimas vezes que fariam amor.
— Vamos a São Clemente amanhã — falei.
— Amanhã é hoje — respondeu ele.

PARTE 4

Canto-fantasma

Anchise estava esperando por mim na estação. Avistei-o logo que o trem fez a extensa curva em volta da baía, diminuindo a velocidade e quase tocando os ciprestes altos que eu tanto amava e através dos quais com frequência flagrava uma sempre bem-vinda prévia do mar reluzente da tarde. Abri a janela e deixei o vento soprar no meu rosto, avistando o vagão-motor a distância. Chegar a B. sempre me deixava feliz. Sempre me fazia lembrar da chegada no início de junho no fim do período escolar. O vento, o calor, a plataforma cinza brilhante com a antiga cabine principal fechada permanentemente desde a Primeira Guerra Mundial, o silêncio mortal, tudo lembrava minha estação do ano favorita naquela hora deserta e amada do dia. Era como se o verão estivesse para começar, como se as coisas ainda não tivessem acontecido, minha cabeça ainda zumbindo com os estudos de última hora antes das provas finais, era a primeira vez que eu avistava o mar naquele ano. Oliver? Que Oliver?

    O trem parou por alguns segundos, cerca de cinco passageiros desceram. Ouvi o estrondo habitual, seguido pelo sonoro ruído hidráulico do motor. Então, tão facilmente quanto tinham parado, os vagões saíram da estação, um a um, e se afastaram. Silêncio completo.

Fiquei um tempo embaixo da cobertura de madeira. Tudo ali, incluindo a cabine na plataforma, exalava um odor forte de combustível, alcatrão, pintura lascada e mijo.

Um melro-preto solitário, sentado em um dos pinheiros, cantou algumas notas que foram imediatamente abafadas pelas cigarras.

Verão.

Tinha pensado raríssimas vezes no ano escolar que se aproximava. Agora estava grato, com tanto calor e tanto verão à minha volta, por ainda parecer que faltavam meses para que começasse.

Minutos depois da minha chegada, o *direttissimo* para Roma zuniu nos trilhos do lado oposto... sempre pontual. Três dias antes, pegamos exatamente aquele trem. Eu me lembrei de ter olhado pela janela e pensado: Em alguns dias, você vai estar de volta, e vai estar sozinho, e vai odiar estar sozinho, então não permita que isso o pegue de surpresa. Esteja preparado. Ensaiei o momento de perdê-lo não só para afastar o sofrimento ao antecipar pequenas doses dele, mas, como fazem todos os supersticiosos, para ver se minha disposição a aceitar o pior não poderia induzir o destino a suavizar o golpe. Como soldados que treinam para o combate à noite, eu vivia no escuro para não ficar cego quando a escuridão chegasse. Ensaiar a dor para anestesiá-la. Homeopaticamente.

Mais uma vez, então. Vista da baía: ok.

Perfume dos pinheiros: ok.

Cabine principal da estação: ok.

Vista das colinas a distância que lembra a manhã em que voltamos pedalando a B. e descemos a toda velocidade, quase atropelando a cigana: ok.

Cheiro de mijo, combustível, alcatrão, tinta esmaltada: ok, ok, ok e ok.

Anchise pegou minha mochila e se ofereceu para levá-la. Eu disse que não precisava; mochilas foram feitas para serem carregadas apenas pelo próprio dono. Ele não entendeu exatamente por que, mas me devolveu a mochila.

Perguntou se o Signor Ulliva tinha ido embora.

Sim, de manhã.

— *Triste* — comentou.

— Sim, um pouco.

— *Anche a me duole*, também estou triste.

Evitei os olhos dele. Não queria incentivá-lo a dizer qualquer coisa nem ao menos a tocar no assunto.

Minha mãe, quando cheguei, quis saber de tudo sobre a viagem. Eu disse que não fizemos nada de especial, só visitamos o Capitólio, Villa Borghese, São Clemente. Mas caminhamos muito pela cidade. Muitas fontes. Muitos lugares estranhos à noite. Dois jantares.

— Jantares? — perguntou minha mãe com um *eu não disse?* triunfante e discreto. — Com quem?

— Pessoas.

— Que pessoas?

— Escritores, editores, amigos do Oliver. Ficamos acordados todas as noites.

— Você não tem nem dezoito anos e já leva *la dolce vita* — comentou Mafalda em um tom ácido.

Minha mãe concordou.

— Arrumamos seu quarto como antes. Achamos que ia gostar de finalmente tê-lo de volta.

Logo fiquei triste e enfurecido. Quem lhes dera esse direito? Com certeza andaram bisbilhotando, juntas ou não.

Eu sempre soube que um dia teria meu quarto de volta. Mas esperava uma transição mais lenta e duradoura para o modo como as coisas eram antes de Oliver. Tinha me imaginado deitado na cama tentando reunir a coragem de ir até o quarto dele. O que não previ era que Mafalda já teria trocado seus lençóis — nossos lençóis. Por sorte, eu tinha pedido mais uma vez que ele me desse a tal camisa esvoaçante naquela manhã, depois de garantir que a usasse o tempo todo em Roma. Guardei-a em um saco plástico no hotel e provavelmente teria que escondê-la do alcance bisbilhoteiro das pessoas pelo resto da vida. Certas noites, tiraria a camisa do saco plástico, verificaria se não tinha adquirido o cheiro do plástico ou das minhas roupas, e a abraçaria, passando as mangas ao redor do meu corpo, sussurraria o nome dele no escuro. *Ulliva, Ulliva, Ulliva...* era Oliver me chamando pelo seu nome quando imitava o som metamorfoseado pronunciado por Mafalda e Anchise; mas também era eu chamando-o pelo seu nome, esperando que ele me chamasse de volta pelo meu, que eu falaria por ele para mim, e para ele de novo: *Elio, Elio, Elio.*

Para evitar entrar em meu quarto pela varanda e ver que ele não estava ali, usei a escada interna. Abri a porta, larguei a mochila no chão e me joguei na cama quente e ensolarada. Graças a Deus. Não tinham lavado a colcha. De repente eu estava feliz por estar de volta. Poderia cair no sono no exato instante, esquecendo completamente a camisa, o cheiro e o próprio Oliver. Quem pode resistir ao sono às duas ou três da tarde nesses lugares ensolarados do Mediterrâneo?

Na exaustão, resolvi pegar o caderno de música mais tarde e retomar Haydn exatamente de onde tinha parado. Ou isso ou iria até a quadra de tênis e sentaria ao sol em um daqueles bancos quentes, que com certeza lançariam um arrepio de bem-estar pelo meu corpo, para ver se alguém estava disponível para uma partida. Sempre havia alguém.

Nunca acolhi o sono com tanta serenidade na vida. Haveria tempo suficiente para o luto, pensei. Ele virá, provavelmente às escondidas, como ouvi dizer que essas coisas acontecem, e não haverá nenhuma maneira fácil de escapar. Antecipar a tristeza para neutralizar a tristeza... é desprezível e covarde, disse a mim mesmo, sabendo que era um praticante ferrenho dessa arte. E se chegasse com força? E se chegasse e não fosse mais embora, uma tristeza que veio para ficar, e fizesse comigo o que a espera por ele fez naquelas noites em que parecia haver algo tão essencial quanto uma parte do meu corpo faltando em minha vida, e perdê-lo agora fosse como perder uma mão que podia ser vista em todas as minhas fotos pela casa, sem a qual eu jamais seria o mesmo. Você perde a mão, como sempre soube que aconteceria, tendo até mesmo se preparado para aquilo; mas não consegue viver com a perda. E a esperança de não pensar nela, assim como rezar para não sonhar com ela, dói do mesmo jeito.

Então uma estranha ideia me ocorreu: e se meu corpo — só meu corpo, meu coração — clamasse pelo dele? O que fazer?

E se eu não fosse capaz de suportar a noite sem ele ao meu lado, dentro de mim? E aí?

Pensar na dor antes da dor.

Eu sabia o que estava fazendo. Mesmo dormindo, eu sabia o que estava fazendo. Está tentando se imunizar, é isso que você está fazendo... desse jeito vai acabar matando a coisa toda... seu garoto sorrateiro e ardiloso. É isso que você é, um garoto sorrateiro, sem coração, ardiloso. Eu ri daquela voz. O sol estava em mim, e eu o amei com um amor quase pagão pelas coisas da terra. Pagão, é isso que você é. Nunca tinha percebido o quanto eu amava a terra, o sol, o mar — pessoas, coisas e até a arte pareciam vir em segundo plano. Ou estaria enganando a mim mesmo?

No meio da tarde, percebi que estava curtindo o sono, não só fazendo dele um refúgio, o sono dentro do sono, como o sonho dentro do sonho, não existe nada melhor. Um acesso de algo tão delicado quanto a pura felicidade começou a se apoderar de mim. Deve ser quarta-feira, pensei, e de fato era quarta-feira, quando o amolador se instala em nosso quintal e começa a trabalhar em cada faca da casa, Mafalda sempre de pé ao seu lado, conversando com ele e segurando um copo de limonada para o homem enquanto ele faz seu trabalho. O som rouco e fricativo de sua roda crepitando e chiando no calor da tarde, enviando ondas sonoras de felicidade para o meu quarto no andar de cima. Ainda não tinha sido capaz de admitir para mim mesmo o quanto Oliver me deixou feliz no dia em que engoliu meu pêssego. É claro que aquilo me emocionou, mas também me deixou lisonjeado, como se o gesto me dissesse *Eu acredito com cada célula do meu corpo que cada célula do seu não deve, nunca deve morrer, e se tiver que morrer, que seja dentro do meu corpo.* Ele abriu a porta já entreaberta da varanda pelo lado de fora e entrou — não estávamos nos falando naquele dia; não perguntou se podia entrar. O que eu ia fazer? Dizer Você não pode entrar? Foi quando levantei o braço para cumprimentá-lo e dizer que não queria mais brigar, que estava cansado de brigar, chega de briga, para sempre, e deixei que ele levantasse os lençóis e deitasse em minha cama.

Assim que ouvi o som do amolador em meio às cigarras, soube que acordaria ou continuaria dormindo, e que as duas coisas eram boas, sonhar ou dormir, a mesma coisa, eu aceitaria qualquer uma ou ambas.

 Acordei perto das cinco horas. Não queria mais jogar tênis, e também não tinha nenhuma vontade de estudar Haydn. Hora de nadar, pensei. Vesti o calção e desci as escadas. Vimini estava sentada no muro baixo perto da casa de seus pais.

 — Por que você está indo nadar? — perguntou ela.

 — Não sei. Deu vontade. Quer vir?

 — Hoje não. Estão me obrigando a usar esse chapéu ridículo se quiser ficar aqui fora. Pareço um bandoleiro mexicano.

 — Pancho Vimini. O que vai ficar fazendo se eu for nadar?

 — Vou ficar assistindo. A não ser que você possa me ajudar a subir em uma daquelas pedras, aí vou ficar sentada, molhando os pés, com o chapéu na cabeça.

 — Então vamos.

 Nunca era preciso pedir a Vimini que desse a mão. Ela dava naturalmente, como as pessoas cegas aceitam nosso cotovelo de modo automático.

 — Só não ande muito rápido — disse ela.

 Descemos a escadaria e, quando chegamos às pedras, encontrei aquela de que Vimini mais gostava e sentei ao seu lado. Era seu lugar favorito com Oliver. A pedra estava quente, e amei a sensação do sol na minha pele àquela hora da tarde.

 — Estou feliz por estar de volta — falei.

 — Você se divertiu em Roma?

 Assenti com a cabeça.

 — Nós sentimos sua falta.

— Nós quem?
— Eu. Marzia. Ela procurou por você outro dia.
— Ah — respondi.
— Contei a ela onde você estava.
— Ah — repeti.
Eu sentia que a menina estava analisando meu rosto.
— Acho que ela sabe que você não gosta tanto assim dela.
Não havia por que debater a questão.
— E? — perguntei.
— E nada. Só senti pena dela. Eu disse que você saiu às pressas.
Era óbvio que Vimini estava satisfeita com sua astúcia.
— Ela acreditou em você?
— Acho que sim. Não foi exatamente uma mentira, não é?
— Como assim?
— Bom, vocês dois foram sem se despedir.
— Tem razão. Não era nossa intenção.
— Ah, por você eu não me importo. Mas por ele, sim. Bastante.
— Por quê?
— Por quê, Elio? Você vai ter que me desculpar por dizer isso, mas você nunca foi muito inteligente.
Demorei um tempo para entender aonde ela queria chegar com aquilo. De repente, percebi.
— Talvez eu também nunca mais o veja — falei.
— Não, pode ser que você ainda o veja. Já eu...
Senti um nó na garganta, então deixei Vimini sentada na pedra e comecei a ir em direção à água. Aconteceu exatamente como eu havia previsto. Eu olhava para a água naquele fim de tarde e por uma fração de segundo me esquecia de que ele não estava mais aqui, que não tinha por que

voltar e olhar para a varanda, de onde sua imagem ainda não havia desaparecido. Ainda assim, poucas horas antes, seu corpo e meu corpo... Agora ele provavelmente já teria feito a segunda refeição no avião e estaria se preparando para pousar no aeroporto JFK. Eu sabia que ele estava cheio de tristeza quando finalmente me beijou pela última vez em uma das cabines no banheiro do Fiumicino, e que, ainda que no avião as bebidas e o filme o tivessem distraído, quando estivesse sozinho em seu quarto em Nova York ele também ficaria triste de novo, e eu odiava pensar nele triste, assim como sabia que ele odiaria me ver triste em nosso quarto, que muito de repente se tornou meu quarto outra vez.

Alguém estava vindo em direção às pedras. Tentei pensar em algo que dissipasse minha tristeza e acabei me dando conta da ironia de que a distância que me separava de Vimini era exatamente a mesma distância que me separava de Oliver. Sete anos. Em sete anos, comecei a pensar, e de repente senti algo quase explodir em minha garganta. Mergulhei na água.

Depois do jantar, o telefone tocou. Oliver tinha chegado bem. Sim, em Nova York. Sim, mesmo apartamento, mesmas pessoas, mesmo barulho — infelizmente a mesma música vinda lá de fora, dava para ouvir agora. Ele colocou o fone para fora da janela e deixou que sentíssemos o gostinho dos ritmos hispânicos de Nova York. A 104th Street, disse ele. Saindo para jantar com uns amigos. Minha mãe e meu pai estavam conversando com ele, cada um em um aparelho na sala. Eu estava no telefone da cozinha. Aqui? Bom, você sabe. Os convidados de sempre para o jantar. Acabaram de sair. Sim, muito calor aqui também. Meu pai esperava que tivesse sido produtivo. O quê? Ficar conosco, explicou meu pai. A melhor coisa da minha vida. Se pudesse, embarcaria no mesmo avião e voltaria com a roupa do corpo, um calção de banho extra, uma escova de dentes. Todos riram. De braços abertos, *caro*. Piadas eram lançadas de um lado para o outro. Você conhece nossa tradição, explicou minha mãe, o hóspede sempre deve voltar, nem que seja só por alguns dias. *Nem que seja só por alguns dias* queria dizer por não mais do que alguns dias — mas ela estava sendo sincera, e ele sabia disso.

— *Allora ciao, Oliver, e a presto* — disse ela.

Meu pai meio que repetiu as mesmas palavras, então completou:

— *Dunque, ti passo Elio... vi lascio.*

Ouvi os cliques das extensões, o que significava que não havia mais ninguém na linha. Como meu pai era discreto. Mas a liberdade tão repentina de estarmos sozinhos em algo que parecia uma barreira temporal me fez congelar. Fez boa viagem? Sim. Odiou a comida? Sim. Pensou em mim? Fiquei sem perguntas e devia ter pensado melhor em vez de ficar encurralando Oliver.

— O que você acha? — Foi sua resposta vaga.

Era como se temesse que alguém acidentalmente entrasse na linha? Vimini manda lembranças. Muito chateada. Vou sair e comprar alguma coisa para ela amanhã e enviar pelo correio. Nunca esquecerei Fiumicino enquanto eu viver. Nem eu. Você gosta do seu quarto? Mais ou menos. Janela de frente para um pátio barulhento, nunca tem sol, não cabe nada, não sabia que eu tinha tantos livros, cama pequena demais agora. Queria que pudéssemos começar tudo de novo naquele quarto, falei. Os dois debruçados na janela à noite, ombro a ombro, como em Roma... todos os dias da minha vida, falei. Todos os dias da minha também. Camisa, escova de dentes, caderno de música e estou a caminho, então não me tente. Peguei uma coisa do seu quarto, disse ele. O quê? Você nunca vai adivinhar. O quê? Descubra sozinho. Foi quando eu disse, não porque era o que queria dizer, mas porque o silêncio estava pesando sobre nós, e aquela era a coisa mais fácil de enfiar na conversa durante uma pausa... e pelo menos eu teria dito: Não quero perder você. Escreveríamos. Eu ligaria da agência do correio... teríamos mais privacidade. Falamos sobre o Natal, até sobre o Dia de Ação de Graças. Sim, no Natal. Mas o mundo dele, que até aquele momento não parecia mais distante do meu do que a espessura da pele que Chiara arrancara de seus ombros, de repente foi sugado do meu e jogado a anos-luz de distância. Até o Natal, talvez não importasse. Quero ouvir o barulho da janela mais uma vez. Ouvi uma crepitação. Quero ouvir o barulho que você fez quando... Um barulho fraco e tímido, porque havia outras pessoas na casa, disse ele. Rimos. Além disso, estão me esperando para jantar. Desejei que ele não tivesse ligado. Queria ouvi-lo dizer meu nome. Queria perguntar, agora que estávamos tão distantes, o que tinha acontecido entre ele e Chiara. Também me esqueci de perguntar onde ele tinha deixado o calção de banho vermelho. Provavelmente esqueceu e levou embora.

 A primeira coisa que fiz depois da conversa ao telefone foi ir até o meu quarto e ver o que ele poderia ter levado para se lembrar de mim. Então vi um espaço vazio na parede. Ah! Ele tinha levado um cartão-postal emoldurado do penhasco de Monet, mais ou menos de 1905. Um dos hóspedes americanos anteriores tinha garimpado o postal em uma feira em Paris dois anos antes e enviado para mim como lembrança.

O cartão desbotado fora enviado originalmente em 1914... havia alguns rabiscos apressados em alemão desbotados no verso, dirigidos a um médico na Inglaterra, e ao lado o estudante americano escreveu suas próprias saudações para mim em tinta preta: *Pense em mim algum dia*. A foto seria uma lembrança para Oliver do dia em que admiti pela primeira vez meus sentimentos. Ou do dia em que passamos pedalando pelo penhasco fingindo não notá-lo. Ou do dia em que decidimos fazer um piquenique lá e juramos não nos tocar, para aproveitar melhor o momento em que nos deitaríamos juntos na cama naquela mesma tarde. Queria que ele tivesse a foto diante dos seus olhos o tempo todo, a vida inteira, na frente da sua mesa de trabalho, da sua cama, em todos os lugares. Pendure em todos os lugares para onde for, escrevi.

O mistério foi solucionado, como sempre acontece comigo, enquanto eu dormia naquela noite. Nunca tinha percebido até então. E esteve bem na minha cara durante dois anos inteiros. O nome dele era Maynard. Certa tarde, quando devia saber que todos estavam descansando, ele bateu à minha porta para ver se eu tinha tinta preta... a dele havia acabado, disse, e ele só usava tinta preta, como eu. Ele entrou. Eu estava só de calção e fui até a escrivaninha e entreguei o frasco. Ele ficou olhando para mim antes de pegá-lo. Na mesma noite, deixou o frasco do lado de fora da porta da varanda. Qualquer outra pessoa teria batido de novo e devolvido. Eu tinha quinze anos. Mas não teria dito não. Durante uma das nossas conversas, eu tinha falado sobre meu lugar favorito nas montanhas.

Nunca pensei nele, até Oliver roubar o postal.

Um pouco depois do jantar, vi meu pai sentado no lugar de sempre à mesa do café da manhã. A cadeira dele estava virada de frente para o mar e em seu colo havia provas do último livro. Estava bebendo o chá de camomila de sempre, aproveitando a noite. Ao seu lado, três velas grandes de citronela. Os mosquitos estavam com tudo naquela noite. Desci para me juntar a ele. Era o momento do dia em que costumávamos nos sentar juntos, e eu não aparecia fazia um mês.

— Me conte sobre Roma — disse ele assim que percebeu que eu estava pronto para sentar ao seu lado.

Também era o momento em que ele se permitia fumar pela última vez no dia. Colocou o manuscrito de lado com um movimento cansado que sugeria um impaciente *agora--chegamos-à-parte-boa* e acendeu o cigarro com um gesto malandro, usando uma das velas de citronela.

— E então? — insistiu.

Não havia nada para contar. Repeti o que tinha contado à minha mãe: o hotel, o Capitólio, Villa Borghese, São Clemente, restaurantes.

— Comeu bem também?

Assenti com a cabeça.

— E bebeu bem também?

Repeti o gesto.

— Fez coisas que seu avô aprovaria?

Eu ri. Não desta vez. Contei sobre o incidente próximo ao Pasquino.

— Que ideia, vomitar na frente da estátua falante! Cinema? Concertos?

Comecei a me dar conta de que ele estava tentando chegar a algum lugar, talvez sem que ele mesmo soubesse. Percebi porque, enquanto ele seguia fazendo perguntas que quase abordavam o assunto, comecei a sentir que já estava colocando em prática manobras evasivas muito antes de o assunto que nos esperava ao dobrar a esquina se tornar visível. Falei sobre a condição permanente de sujeira e degradação das praças de Roma. Do calor, do tempo, trânsito, freiras demais. Tais e tais igrejas fecharam. Detritos em todos os lugares. Reformas malfeitas. E reclamei das pessoas, dos turistas, dos micro-ônibus que levavam e traziam inúmeras hordas com minicâmeras.

— Viu alguma das praças privativas de que falei?

Acho que nos esquecemos de visitar as praças privativas de que ele falou.

— Foram até a estátua de Giordano Bruno por mim? — perguntou ele.

Claro que sim. Quase vomitei lá também naquela noite.

Rimos.

Pausa breve. Mais uma tragada do cigarro.

Agora.

— Vocês dois tinham uma amizade bonita.

Foi muito mais ousado do que qualquer coisa que eu poderia imaginar.

— Sim — respondi, tentando deixar meu "sim" suspenso no ar, como que impulsionado pela ascensão de um qualificador negativo que acabou suprimido.

Só esperava que ele não tivesse percebido o *Sim, e daí?* hostil, evasivo e aparentemente cansado em minha voz.

Também esperava, no entanto, que ele aproveitasse a oportunidade do *Sim, e daí?* não dito para me repreender, como costumava fazer quando eu era desagradável, indiferente ou crítico demais com as pessoas que tinham toda razão em se considerar minhas amigas. Em seguida, talvez acrescentasse o clichê de sempre a respeito de como as boas amizades eram raras e que, mesmo que as pessoas se revelassem difíceis depois de um tempo, ainda assim a maioria delas tinha boas intenções e cada uma tinha algo de bom para compartilhar. Nenhum homem é uma ilha, você não pode se fechar para os outros, pessoas precisam de pessoas, blá-blá-blá.

Mas eu estava errado.

— Você é inteligente demais para não saber como era raro e especial o que havia entre vocês.

— Oliver era Oliver — falei, como se isso resumisse as coisas.

— *Parce que c'était lui, parce que c'était moi* — acrescentou meu pai, citando a explicação abrangente de Montaigne para sua amizade com Étienne de la Boétie.

Já eu, estava pensando nas palavras de Emily Brontë: porque "... ele é mais eu do que eu mesma."

— Oliver pode ser muito inteligente — comecei.

Mais uma vez, a falsa ascensão na entonação anunciou um *mas* invisível entre nós. Qualquer coisa para impedir que meu pai me fizesse avançar por aquele caminho.

— Inteligente? Ele era mais do que inteligente. O que havia entre vocês tinha tudo e nada a ver com inteligência. Ele era bom, e vocês dois tiveram sorte de se encontrar, porque você também é bom.

— Acho que ele era melhor do que eu, pai.

— Tenho certeza de que ele diria o mesmo sobre você, o que diz muito dos dois.

Ele estava prestes a bater as cinzas do cigarro e, inclinando-se em direção ao cinzeiro, estendeu o braço e tocou minha mão.

— O que está por vir vai ser muito difícil — começou a dizer, alterando a voz.

Seu tom dizia: *Não precisamos falar sobre isso, mas não vamos fingir que não sabemos do que estou falando.*
— Na verdade, não sei o que eu sinto. Nem acho que sinta alguma coisa.
Falar de modo abstrato era o único jeito de falar a verdade para ele.
— Não tenha medo. Virá. Pelo menos eu espero que venha. E quando você menos espera. A natureza sabe como encontrar nossos pontos mais fracos. Apenas se lembre: estou aqui. Agora talvez você não queira sentir nada. Talvez você nunca tenha desejado sentir nada. E talvez não seja comigo que você vai querer falar sobre essas coisas. Mas você sentiu algo, sim.
Olhei para ele. Era o momento de mentir e dizer que estava completamente enganado. Eu estava prestes a fazer isso.
— Olha só. Vocês tinham uma bela amizade. Talvez mais do que amizade. E invejo vocês. No meu lugar, muitos pais esperariam que a coisa simplesmente sumisse, ou rezariam para que seus filhos se reerguessem logo. Mas eu não sou um desses pais. No seu lugar, se houver dor, cuide dela, e se houver uma chama, não a apague, não seja bruto com ela. Arrancamos tanto de nós mesmos para nos curarmos das coisas mais rápido do que deveríamos, que declaramos falência antes mesmo dos trinta e temos menos a oferecer a cada vez que iniciamos algo com alguém novo. A abstinência pode ser uma coisa terrível quando não nos deixa dormir à noite, e ver que as pessoas nos esqueceram antes do que gostaríamos de ser esquecidos não é uma sensação melhor. Mas não sentir nada para não sentir alguma coisa... que desperdício!
Eu não consegui nem começar a absorver tudo aquilo. Estava em choque.

— Falei o que não devia? — perguntou ele.
Balancei a cabeça.
— Então permita que eu diga mais uma coisa. Vai esclarecer tudo. Talvez tenha chegado perto, mas nunca tive o que vocês tiveram. Alguma coisa sempre me impediu ou ficou no caminho. Como você vive sua vida é problema seu. Mas lembre-se, nossos corações e nossos corpos nos são dados apenas uma vez. A maioria de nós teima em viver como se tivesse duas vidas, uma é a maquete, a outra a versão final, e todas as versões entre elas. Mas a vida é só uma, e antes que você se dê conta, seu coração se cansa e, quanto ao seu corpo, chega um momento em que ninguém mais olha para ele, muito menos quer chegar perto dele. Agora há tristeza. Não invejo sua dor. Mas invejo sua dor.

Ele respirou fundo.

— Talvez nunca mais falemos sobre isso. Mas espero que você nunca ressinta o fato de termos falado. Terei sido um pai terrível se, um dia, você quiser falar comigo e encontrar a porta fechada ou não suficientemente aberta.

Eu queria perguntar como ele sabia. Mas como poderia não saber? Como qualquer pessoa poderia não saber?

— Minha mãe sabe? — perguntei.

Eu ia dizer *suspeita*, mas me corrigi.

— Acho que não. — A voz dele queria dizer, *Mas mesmo que saiba, tenho certeza de que a atitude dela não seria diferente da minha.*

Dissemos boa-noite. Subindo as escadas, jurei perguntar a ele sobre sua vida. Sabíamos tudo sobre as mulheres de quando ele era jovem, mas nunca houve nem sugestão a algo mais.

Meu pai era outra pessoa? E, se ele era outra pessoa, quem eu era?

* * *

Oliver cumpriu a promessa. Voltou um pouco antes do Natal e ficou até o Ano-novo. No início, pareceu distante. Ele precisa de tempo, pensei. Mas eu também precisava. Ele passava a maior parte do tempo com meus pais, e então com Vimini, que ficou feliz por sentir que nada tinha mudado entre eles. Eu estava começando a temer que tivéssemos voltado aos primeiros dias quando, à exceção dos gracejos no pátio, a evasão e a indiferença eram a norma. Por que suas ligações não me prepararam para aquilo? Eu era o responsável pelo novo tom da nossa amizade? Meus pais tinham dito alguma coisa? Ele voltou por mim? Ou por eles, pela casa, para fugir? Ele voltou pelo livro, que já tinha sido publicado na Inglaterra, na França, na Alemanha e finalmente estava prestes a sair na Itália. Era um exemplar elegante, e todos estávamos muito felizes por ele, incluindo o livreiro de B., que prometera uma festa de lançamento no verão seguinte.

— Talvez. Vamos ver — respondeu Oliver quando passamos lá de bicicleta.

A sorveteria estava fechada. Assim como a floricultura e a farmácia onde havíamos parado ao voltar do penhasco naquele primeiro dia quando ele me mostrou que tinha se machucado feio. Tudo pertencia a outra vida. A cidade parecia vazia, o céu estava cinza. Certa noite ele teve uma longa conversa com meu pai. Provavelmente estavam falando de mim, ou de minhas perspectivas para a faculdade, ou do verão anterior, ou de seu livro novo. Ouvi risadas no corredor lá embaixo, minha mãe o beijou. Um tempo depois alguém bateu à minha porta, não a da varanda... aquela entrada ficaria permanentemente fechada.

— Quer conversar?

Eu já estava deitado. Ele estava agasalhado e parecia vestido para sair para uma caminhada. Sentou na beirada da minha cama, parecendo tão inquieto quanto eu devo ter parecido naquela primeira vez, quando este quarto era dele.

— Talvez eu me case na primavera — contou ele.

Aquilo me pegou de surpresa.

— Mas você não disse nada.

— Bom, estamos enrolados há mais de dois anos.

— É uma notícia maravilhosa — falei.

Casamentos sempre eram notícias maravilhosas, eu estava feliz por ele, casar era bom, e o sorriso largo em meu rosto era bastante genuíno, ainda que depois de um tempo eu tenha percebido que uma notícia como aquela não tinha como ser boa para nós. Eu me importava?, perguntou ele.

— Não seja bobo — respondi. Um longo silêncio. — Você vai deitar agora? — perguntei.

Ele olhou para mim com cautela.

— Um pouco. Mas não quero fazer nada.

Parecia uma versão atualizada e muito mais educada do *Depois, talvez*. Então voltamos a isso, não é? Tive o ímpeto de imitá-lo, mas me contive. Ele deitou ao meu lado em cima do cobertor, sem tirar a blusa. Só tirou os sapatos.

— Quanto tempo acha que isso vai durar? — perguntou ele com ironia.

— Não muito, espero.

Ele me beijou na boca, mas não foi o beijo depois do Pasquino, quando me pressionou com força contra a parede na Santa Maria dell'Anima. Reconheci o gosto imediatamente. Não tinha percebido o quanto eu gostava daquilo ou a falta que tinha sentido. Mais um item para acrescentar à lista de coisas de que sentiria falta antes de perdê-lo para sempre. Eu estava prestes a sair de baixo das cobertas.

— Não posso fazer isso — disse ele, e se afastou.

— Eu posso — respondi.

— Sim, mas eu não posso.

Meus olhos devem ter parecido duas lâminas gélidas, pois de repente ele percebeu o quanto eu estava com raiva.

— Não tem nada que eu queria mais do que tirar a roupa e pelo menos abraçá-lo. Mas não posso.

Envolvi sua cabeça em meus braços.

— Então talvez seja melhor você ir. Eles sabem sobre nós.

— Eu imaginava — disse ele.

— Como?

— Pelo modo como seu pai falou. Você tem sorte. Meu pai me mandaria para um reformatório.

Olhei para ele: eu queria mais um beijo.

Eu poderia, deveria tê-lo agarrado.

Na manhã seguinte, as coisas esfriaram oficialmente.

Uma coisinha aconteceu naquela semana. Estávamos sentados na sala depois do almoço, tomando café, quando meu pai trouxe uma pasta grande na qual estavam seis inscrições com fotos 3x4. Os candidatos do verão seguinte. Meu pai queria a opinião de Oliver, então passou as inscrições para minha mãe, para mim e para outro professor e sua esposa, também colega da universidade, que tinham vindo almoçar pelo mesmo motivo no ano anterior.

— Meu sucessor — disse Oliver, pegando uma das inscrições e passando adiante.

Meu pai instintivamente lançou um olhar em minha direção, e em seguida desviou.

O mesmo acontecera quase um ano antes. Pavel, sucessor de Maynard, veio para o Natal e, ao analisar as inscrições recomendou com veemência um candidato de Chicago. Na verdade, o conhecia muito bem. Pavel e todos os outros não demonstraram entusiasmo pelo jovem pós-doutor que dava aula em Columbia e tinha se especializado nos pré-socráticos. Fiquei olhando para sua foto por mais tempo do que o necessário e fiquei aliviado ao perceber que não sentia nada.

Lembrando agora, eu não poderia estar mais certo de que tudo entre nós começou naquela sala durante as férias de fim de ano.

— Foi assim que eu fui selecionado? — perguntou ele com uma inocência sincera e estranha, que minha mãe sempre achou encantadora.

— Eu queria que fosse você — falei para Oliver mais tarde naquela noite, quando o ajudei a carregar suas coisas minutos antes de Manfredi levá-lo até a estação. — Fiz com que escolhessem você.

Naquela noite revirei o gabinete do meu pai e encontrei a pasta das inscrições do ano anterior. Achei a foto dele. Colarinho aberto, a camisa esvoaçante, cabelo comprido, o ar de uma estrela de cinema fotografada contra a vontade por um paparazzo. É claro que fiquei olhando para o retrato. Queria poder me lembrar do que tinha sentido naquela tarde exatamente um ano antes... a explosão imediata de desejo seguida por seu antídoto imediato, o medo. O Oliver real e cada Oliver depois dele, cada um com um calção diferente a cada dia, ou o Oliver que se deitava nu na cama, ou o que se debruçou na janela do nosso quarto de hotel em Roma me impedia de ver a imagem confusa que tive dele ao ver sua foto pela primeira vez.

Olhei para o rosto dos outros candidatos. Este aqui não era tão ruim. Comecei a me perguntar que caminho minha vida teria tomado se outro candidato tivesse sido escolhido. Eu não teria ido a Roma. Mas talvez tivesse ido a outro lugar. Não saberia nada sobre São Clemente. Mas talvez tivesse descoberto outras coisas, que jamais saberia agora. Não teria mudado, não seria quem sou hoje, teria me tornado outra pessoa.

Agora me pergunto quem essa outra pessoa é hoje. É mais feliz? Eu não poderia mergulhar em sua vida por algumas horas, alguns dias, e ver com meus próprios olhos... não só para checar se essa outra vida é melhor, ou para atestar que nossas vidas não poderiam ser mais distantes por causa de Oliver, mas também para considerar o que eu diria para esse outro eu se lhe fizesse uma visita um dia? Eu gostaria dele, ele gostaria de mim, algum de nós entenderia por que o outro se tornou quem é, algum de nós ficaria surpreso ao descobrir que cada um de nós acabou encontrando um Oliver de um jeito ou de outro, homem ou mulher, e que muito possivelmente éramos, independentemente de quem tivesse vindo passar aquele verão conosco, exatamente a mesma pessoa?

Foi minha mãe, que odiava Pavel e teria obrigado meu pai a recusar qualquer pessoa que ele tivesse recomendado, que finalmente coagiu o destino. Podemos ser judeus discretos, dissera ela, mas esse Pavel, é um antissemita e eu jamais aceitarei outro antissemita em minha casa.

Eu me lembrei dessa conversa. Também estava impresso na sua foto de rosto. Ele também é judeu, pensei.

Então fiz o que pretendia fazer naquela noite no escritório do meu pai. Fingi não saber quem era aquele tal de

Oliver. Foi no Natal anterior. Pavel ainda estava tentando nos persuadir a hospedar seu amigo. O verão ainda não tinha começado. Oliver provavelmente chegaria de táxi. Eu levaria suas malas, mostraria seu quarto, o levaria à praia pela escada que ia até as pedras e, se o tempo permitisse, mostraria a propriedade até a velha parada de trem e diria alguma coisa sobre os ciganos que viviam nos vagões abandonados que carregavam a insígnia real da Casa Savoia. Semanas depois, se tivéssemos tempo, talvez pedalássemos até B. Pararíamos para beber alguma coisa. Eu mostraria a livraria. E depois o penhasco de Monet. Nada disso tinha acontecido ainda.

Ficamos sabendo do casamento no verão seguinte. Enviamos presentes, e eu inclui um pequeno *mot*. O verão veio e foi embora. Várias vezes fiquei tentado a contar a ele sobre seu "sucessor" e enfeitar todo tipo de história sobre meu novo vizinho de varanda. Mas nunca enviei nada. A única carta que mandei no ano seguinte foi para contar que Vimini tinha morrido. Ele escreveu para todos nós expressando seu pesar. Estava viajando pela Ásia, então, quando a carta chegou, sua reação à morte da Vimini, em vez de aliviar uma ferida aberta, pareceu arranhar uma ferida que tinha se curado sozinha. Escrever para ele a respeito dela foi como cruzar a última ponte entre nós, principalmente depois que ficou claro que nunca mais mencionaríamos o que tinha acontecido, nem, aliás, o fato de nunca o mencionarmos. Escrever também foi a maneira que encontrei de contar qual faculdade cursaria nos Estados Unidos, caso meu pai, que mantinha correspondência ativa com todos os hóspedes, não tivesse contado ainda. Ironicamente, Oliver enviou a resposta para meu endereço na Itália — outro motivo para o atraso.

Então vieram os anos em branco. Se eu pontuasse minha vida com as pessoas cuja cama compartilhei, e se elas pudessem ser divididas em duas categorias — antes e depois de Oliver —, o maior presente que a vida poderia me conceder foi o de avançar esse divisor ao longo do tempo. Muitos me ajudaram a dividir a vida entre Antes de X e Depois de X, muitos trouxeram alegria e sofrimento, muitos tiraram minha vida dos eixos, e outros não fizeram a menor diferença. Então Oliver, que durante tanto tempo agigantou-se como um alicerce na escala da vida, com o tempo ganhou sucessores que o eclipsaram ou o reduziram a uma placa no início da viagem, uma bifurcação menor na estrada, um Mercúrio pequeno e ardente em uma jornada em direção a Plutão e além. Imagine só, eu diria: na época em que conheci Oliver, ainda não tinha conhecido fulano e sicrano. E a vida sem fulano e sicrano era simplesmente inimaginável.

Em um verão, nove anos depois da última carta que ele escreveu, eu estava nos Estados Unidos quando recebi uma ligação dos meus pais.

— Você nunca vai adivinhar quem está aqui para passar dois dias conosco. No seu antigo quarto. E bem aqui na minha frente agora.

Eu já tinha adivinhado, é claro, mas fingi que não sabia.

— O fato de você se recusar a dizer que já adivinhou diz muita coisa — continuou meu pai, abafando uma risada antes de se despedir.

Meus pais discutiram sobre quem entregaria o telefone. Finalmente, ouvi a voz dele.

— Elio — disse.

Eu ouvia meus pais e vozes de crianças ao fundo. Ninguém era capaz de dizer meu nome daquele jeito.

— Elio — repeti, para dizer que era eu quem estava falando mas também para relembrar nossa antiga brincadeira e mostrar que eu não tinha me esquecido de nada.

— É o Oliver — falou. Ele tinha esquecido. — Eles me mostraram fotos, você não mudou nada — continuou ele.

Falou sobre os dois filhos que naquele instante estavam brincando na sala com minha mãe, oito e seis, eu precisava conhecer a esposa dele, estou tão feliz por estar aqui, você não faz ideia, não faz ideia. É o lugar mais lindo do mundo, falei, fingindo inferir que ele estava feliz por causa do lugar. Você não sabe como estou feliz por estar aqui. As palavras dele estavam sumindo, ele passou o telefone de volta para minha mãe que, antes de falar comigo, disse algumas palavras carinhosas a ele.

— *Ma s'è tutto commosso*, ele está comovido — disse ela, finalmente falando comigo.

— Eu queria estar aí com vocês — respondi, me deixando abalar por uma pessoa em quem praticamente eu não pensava mais.

O tempo nos deixa sentimentais. Talvez, no fim, o tempo seja o motivo pelo qual sofremos.

Quatro anos depois, de passagem pela cidade onde ele lecionava, fiz o incomum. Decidi aparecer. Assisti à aula dele à tarde e, quando acabou, enquanto ele guardava os livros e colocava umas folhas soltas em uma pasta, fui até ele. Eu não pretendia obrigá-lo a adivinhar quem eu era, mas também não ia facilitar as coisas.

Um aluno queria fazer uma pergunta. Então esperei minha vez. O aluno enfim foi embora.

— Você não deve se lembrar de mim — comecei, enquanto ele estreitava os olhos, tentando me reconhecer.

De repente, ficou distante, como se tomado pelo medo de que tivéssemos nos conhecido em algum lugar do qual ele não queria ser lembrado. Assumiu um olhar hesitante, irônico e questionador, um sorriso desconfortável e franzido, como se ensaiasse para dizer *Acho que você está me confundindo com outra pessoa*. Então, ficou paralisado.

— Meus Deus! Elio!

Foi minha barba que o confundiu, disse ele. Então me abraçou, deu vários tapinhas na minha cara peluda como se eu fosse ainda mais jovem do que naquele verão tão distante. Ele me deu o abraço que não foi capaz de dar naquela noite em que entrou em meu quarto para me contar que ia se casar.

— Quantos anos se passaram?

— Quinze. Contei ontem à noite a caminho daqui. — Em seguida, acrescentei: — Não é verdade. Eu sempre soube.

— Quinze anos, então. Olha só para você! Escuta — acrescentou depois de um instante —, venha tomar alguma coisa com a gente, jantar com a gente, hoje, agora, conhecer minha esposa, meus filhos. Por favor, por favor, por favor.

— Eu adoraria...

— Preciso deixar uma coisa no escritório e podemos ir. É uma ótima caminhada até o estacionamento.

— Você não entendeu. Eu adoraria. Mas não posso.

O "não posso" não queria dizer que eu não estava livre para ir à casa dele, mas que não seria capaz de fazê-lo.

Ele me olhou enquanto ainda guardava os papéis na pasta de couro.

— Você nunca me perdoou, não é?

— Perdoar? Não havia o que perdoar. Seja como for, tenho gratidão por tudo. Só guardei as coisas boas.

Eu ouvira as pessoas dizerem isso nos filmes. Pareciam acreditar.

— Então, por quê? — perguntou ele.

Saímos da sala de aula e fomos para o pátio, onde um longo e lânguido pôr do sol, típico do outono na Costa Leste, lançava luminosas sombras alaranjadas sobre as montanhas.

Como eu poderia explicar a ele, ou a mim mesmo, por que eu não podia ir à sua casa conhecer sua família, embora cada pedaço do meu ser quisesse muito fazer isso? A esposa de Oliver. Os filhos de Oliver. Os animais de estimação de Oliver. O escritório, a mesa, os livros, o mundo, a vida de Oliver. O que eu esperava? Um abraço, um aperto de mão, um olá-companheiro superficial e, em seguida, o inevitável *Até depois*?

A possibilidade de conhecer a família dele de repente me assustou — real demais, repentina demais, direta demais, suficientemente não ensaiada. Ao longo dos anos, acomodei Oliver no passado permanente, meu amante mais-que-perfeito, coloquei-o no gelo, enchi-o de memórias e bolinhas de naftalina como um ornamento caçado que confabulava com os fantasmas de todas as minhas noites. Tirava o pó de vez em quando e o colocava de volta na prateleira. Ele não pertencia mais à terra ou à vida. Tudo o que eu descobriria àquela altura não seria apenas como os caminhos que tomamos eram distantes; o tamanho da perda é que me atingiria — uma perda na qual eu não me importava de pensar em termos abstratos, mas que machucaria quando a olhasse de frente, do mesmo modo que a nostalgia é capaz de machucar muito tempo depois de pararmos de pensar nas coisas que perdemos e às quais talvez nunca tenhamos dado valor.

Ou será que eu estava com inveja de sua família, da vida que ele tinha construído, das coisas que nunca compartilhei e que jamais poderia saber? Coisas que ele tinha desejado, amado e perdido, cuja perda o destruíra, mas cuja presença em sua vida eu não pude testemunhar e que jamais começaria a entender. Eu não estava lá quando ele as conquistou, não estava lá quando desistiu delas. Ou será que era muito, muito mais simples? Eu tinha vindo para ver se sentiria alguma coisa, se algo ainda estaria vivo. O problema era que eu não queria que estivesse.

Em todos aqueles anos, sempre que eu pensava nele, pensava em B. ou nos últimos dias em Roma, tudo levando a duas cenas: a varanda com todas as suas agonias e a via Santa Maria dell'Anima, onde ele me pressionou contra a parede, me beijou e no fim deixou que eu colocasse uma perna em volta da dele. Sempre que volto a Roma, volto àquele lugar. Ainda está vivo para mim, ainda ressoa como algo totalmente presente, como se um coração roubado de um conto de Poe ainda palpitasse sob o antigo chão de ardósia para me lembrar de que, aqui, finalmente encontrei a vida que era certa para mim, mas que não pude ter. Nunca pensava nele na Nova Inglaterra. Quando morei um tempo lá, a menos de oitenta quilômetros de onde ele morava, ainda o imaginava preso em algum lugar da Itália, irreal e espectral, e os lugares onde ele vivia também pareciam inanimados; assim que tentava pensar neles, também flutuavam e desapareciam, não menos irreais e espectrais. Agora, afinal, não só as cidades da Nova Inglaterra se revelavam bem vivas, mas ele também. Eu poderia facilmente ter me lançado nele anos antes, casado ou não... a menos que fosse eu quem, apesar de todas as aparências, estivesse vivendo uma vida irreal e espectral.

Ou será que eu tinha vindo com um objetivo muito mais baixo? Para encontrá-lo sozinho, esperando por mim, ansiando por ser levado de volta a B.? Sim, nossas vidas no mesmo respirador artificial esperando pelo momento em que finalmente nos encontraríamos e faríamos o caminho de volta ao memorial do Piave.

Então, as palavras saíram de mim:

— A verdade é que não sei se sou capaz de não sentir nada. E, se eu conhecer sua família, prefiro não sentir nada. — Seguiu-se um silêncio dramático. — Talvez nunca tenha superado.

Eu estava falando a verdade? Ou o momento, tenso e delicado como era, estava me fazendo dizer coisas que nunca admiti para mim mesmo e ainda não era capaz de apostar que eram totalmente verdadeiras?

— Talvez nunca tenha superado — repeti.

— Então... — disse ele.

Seu "então" era a única palavra que poderia resumir minha situação complicada. Mas talvez ele quisesse mesmo dizer *E daí?*, como se questionasse o que poderia ser tão chocante no fato de eu ainda desejá-lo depois de tantos anos.

— Então... — repeti, como se me referisse às dores e tristezas voluntariosas de um terceiro, um exagerado que calhava de ser eu mesmo.

— Então, é por isso que você não pode tomar alguma coisa com a gente?

— Então é por isso que não posso tomar alguma coisa com vocês.

— Que pateta!

Eu tinha me esquecido completamente que ele usava essa palavra.

Chegamos ao escritório de Oliver. Ele me apresentou a dois ou três colegas que estavam no departamento, me surpreendendo ao demonstrar completa familiaridade com cada aspecto da minha carreira. Ele sabia tudo, se manteve a par dos detalhes mais insignificantes. Em alguns casos, deve ter desenterrado informações sobre mim que só poderiam ser obtidas pesquisando na internet. Fiquei comovido. Achava que ele tinha me esquecido completamente.

— Quero mostrar uma coisa — disse ele.

Seu escritório tinha um grande sofá de couro. Sofá do Oliver, pensei. Então é aqui que ele senta para ler. Havia papéis espalhados pelo sofá e pelo chão, a não ser por uma almofada no canto, que ficava sob uma luminária. Luminária do Oliver. Eu me lembrei dos lençóis beirando o chão do seu quarto em B.

— Reconhece isso? — perguntou ele.

Na parede estava o postal emoldurado do penhasco de Monet.

— Era meu, mas passou muito mais tempo com você do que comigo.

Nós éramos um do outro, mas tínhamos passado tanto tempo separados que agora éramos de outras pessoas. Posseiros, nada mais que posseiros, eram os verdadeiros requerentes de nossos corações.

— É uma longa história — falei.

— Eu sei. Quando mandei emoldurar vi as dedicatórias atrás, e é por isso que também é possível ler o verso do cartão agora. Pensei várias vezes nesse tal de Maynard. *Pense em mim algum dia.*

— Seu predecessor — falei para provocá-lo. — Não, não é nada disso. Para quem você vai dar o postal um dia?

— Eu esperava deixar que um dia um dos meus filhos levasse pessoalmente quando fosse o hóspede do verão. Já acrescentei a minha própria dedicatória... mas você não pode ver. Vai ficar na cidade? — perguntou para mudar de assunto enquanto vestia o casaco.

— Sim. Uma noite. Vou encontrar umas pessoas na universidade e vou embora.

Ele olhou para mim. Eu sabia que ele estava pensando naquela noite durante as férias de fim de ano, e ele sabia que eu sabia.

— Então estou perdoado.

Apertou os lábios em um pedido de desculpas mudo.

— Vamos tomar alguma coisa no meu hotel.

Senti seu desconforto.

— Eu disse tomar alguma coisa, não dar umazinha.

Ele olhou para mim e literalmente corou. Fiquei olhando para ele. Ainda era incrivelmente belo, não tinha perdido cabelo, nem engordado, ainda corria todas as manhãs, disse, a pele tão macia quanto antes. Apenas algumas manchas de sol nas mãos. Manchas de sol, pensei, e não consegui parar de pensar naquilo.

— O que é isso? — perguntei, apontando para sua mão e tocando-a.

— Tenho no corpo todo.

Manchas de sol. Partiram meu coração, e eu queria beijar cada uma delas até sumirem.

— Muito sol na juventude. Além disso, não devia ser tão surpreendente. Estou velho. Em três anos, meu filho vai ter a idade que você tinha naquela época... na verdade, ele está mais próximo da pessoa que você era quando estivemos juntos, do Elio que eu conheci, do que você. Isso, sim, é perturbador.

É assim que você chama, *quando estivemos juntos?*, pensei.

No bar do hotel na Nova Inglaterra, encontramos um lugar tranquilo com vista para o rio e um grande jardim que estava muito florido naquele mês. Pedimos dois martínis — gin Sapphire, especificou ele — e sentamos próximos um do outro em um banco em formato de ferradura, como dois maridos obrigados a permanecer a uma distância desconfortável um do outro enquanto as esposas usam o toilette.

— Em oito anos, eu terei quarenta e sete e você quarenta. Cinco anos depois, eu terei cinquenta e dois e você quarenta e cinco. Será que depois desse tempo você vai jantar conosco?

— Sim. Prometo.

— Então quer dizer que você só irá quando estiver velho demais para se importar. Vai ser quando meus filhos já tiverem ido embora. Ou quando eu for avô. Já consigo ver a cena... nessa noite, vamos nos sentar juntos e beber um conhaque forte, como a grapa que seu pai costumava servir à noite.

— E falaremos sobre dois jovens que encontraram muita felicidade por algumas semanas e viveram o resto de suas vidas mergulhando cotonetes naquela taça de felicidade, com medo de gastar tudo, sem ousar beber mais do que um dedal em datas comemorativas.

Mas essa coisa que quase nunca aconteceu ainda dá sinais de estar viva, era isso que eu queria dizer. Eles nunca poderão desfazê-la, nunca desescrevê-la, nunca desvivê-la, ou revivê-la... está presa no passado como vaga-lumes ao anoitecer em um campo no verão, que parecem dizer *Você poderia ter vivido isso*. Voltar é falso. Ir em frente é falso. Desviar o olhar é falso. Tentar corrigir tudo que é falso acaba se revelando tão falso quanto.

Silêncio.

— Meu Deus, como eles nos invejavam do outro lado da mesa de jantar naquela primeira noite em Roma — disse ele. — Nos encarando, os jovens, os velhos, homens, mulheres... cada um deles naquela mesa de jantar... boquiabertos, porque éramos tão sortudos.

— Eles sabiam muito, muito mais do que qualquer um de nós.

— E na noite em que estivermos velhos falaremos sobre aqueles dois jovens como se fossem duas pessoas que conhecemos em um trem, completos estranhos que admiramos e queremos ajudar. E vamos querer chamar de inveja, porque chamar de arrependimento vai partir nossos corações.

Silêncio de novo.

— Talvez eu não esteja pronto para falar deles como se fossem estranhos — afirmei.

— Se vale de alguma coisa, não acho que nenhum de nós estará um dia.

— Acho que precisamos de mais um martíni.

Ele aceitou antes mesmo de dar o fraco argumento de que precisava ir para casa.

Tiramos as introduções do caminho. A vida dele, minha vida, o que ele fazia, o que eu fazia, o bom, o ruim. Onde ele queria estar, onde eu queria. Evitamos nossos pais. Imaginei que ele soubesse. O fato de não ter perguntado me disse que ele sabia.

Uma hora.

— Seu melhor momento? — interrompeu ele finalmente.

Pensei por um instante.

— A primeira noite é a que mais lembro... talvez por ter sido tão atrapalhado. Mas também Roma. Há um lugar na via Santa Maria dell'Anima que visito sempre que estou lá. Fico olhando para ele por um tempo, e de repente tudo volta. Eu havia acabado de vomitar e no caminho de volta para o bar você me beijou. As pessoas passavam por nós, mas eu não me importava, nem você. Aquele beijo ainda está gravado lá, graças a Deus. É tudo que tenho de você. Isso e a camisa.

Ele lembrou.

— E você? — perguntei. — Qual momento?

— Roma também. Nós cantando juntos até o anoitecer na Piazza Navona.

Eu tinha esquecido completamente. Não foi apenas uma canção napolitana que acabamos cantando naquela noite. Um grupo de jovens holandeses tocava violão e cantava uma música dos Beatles atrás da outra, e todos que estavam em volta da fonte principal se juntaram a eles, e nós também. Até Dante apareceu de novo e também cantou com seu inglês capenga.

— Eles fizeram uma serenata para nós ou estou inventando?

Ele me olhou perplexo.

— Eles fizeram uma serenata para *você*... e você estava completamente bêbado. No fim, pegou o violão de um deles emprestado e começou a tocar "Lascia ch'io pianga", e depois, do nada, começou a cantar, Deus do céu. Todos ficaram boquiabertos. Todos os drogados do mundo ouvindo Handel como ovelhas. Uma das holandesas enlouqueceu. Você queria levá-la para o nosso hotel. E ela também queria ir. Que noite. Acabamos nos sentando na varanda de um *caffè* fechado atrás da praça, só você, eu e a garota, assistindo ao nascer do sol, cada um jogado em uma cadeira.

Ele olhou para mim.

— Estou feliz por você ter vindo.
— Também estou feliz por ter vindo.
— Posso fazer uma pergunta?
Por que de repente aquilo começou a me deixar nervoso?
— Manda.
— Você começaria tudo de novo se pudesse?
Olhei para ele.
— Por que está perguntando isso?
— Porque sim. Só responda.
— Se eu começaria tudo de novo se pudesse? Em um piscar de olhos. Mas já bebi dois deste, e estou prestes a pedir o terceiro.
Ele sorriu. Obviamente era minha vez de fazer a mesma pergunta, mas eu não queria constrangê-lo. Aquele era meu Oliver preferido: o que pensava exatamente como eu.

— Ver você aqui é como acordar de um coma de vinte anos. Você olha em volta e descobre que sua esposa o deixou, seus filhos, cuja infância você perdeu por completo, já são homens, alguns casados, seus pais morreram, você não tem amigos, e aquele rostinho olhando para você através dos óculos pertence a ninguém menos que seu neto, que trouxeram para dar as boas-vindas ao vovô que acordou de seu longo sono. Seu rosto no espelho está tão branco quanto o de Rip Van Winkle. Mas tem uma pegadinha: você ainda é vinte anos mais jovem do que os que estão reunidos à sua volta. Então, já que você quase perguntou mas não o fez, como na teoria de Einstein, neste instante, quinze anos depois, posso ter vinte e quatro em um segundo... tenho vinte e quatro. E se avançarmos a parábola alguns anos, poderia acordar e ser mais jovem que meu filho mais velho.

— O que isso diz da vida que você viveu, então?

— Parte dela... só parte... foi um coma... mas prefiro chamar de vida paralela. Soa melhor. O problema é que a maioria de nós tem... ou melhor, vive... mais do que duas vidas paralelas.

Talvez tenha sido por causa do álcool, talvez fosse a verdade, mas senti que devia dizer, porque aquele era o momento para dizer.

— Você é a única pessoa de quem eu gostaria de me despedir quando morrer, porque só assim essa coisa que chamo de vida vai fazer algum sentido. E se eu ficar sabendo que você morreu, a vida como a conheço, o eu que está falando com você agora, vai deixar de existir. O que provavelmente significa que em algum lugar ainda estou esperando alguma coisa. Às vezes tenho a sensação terrível de acordar na casa em B. e, olhando para o mar, ouvir as ondas trazerem a notícia, *Ele morreu ontem à noite*. Perdemos tanta coisa. Foi um coma. Amanhã vou voltar ao meu coma, e você ao seu. Desculpe, eu não quis ofendê-lo... tenho certeza de que no seu caso não é um coma.

— Não, uma vida paralela.

Talvez toda a tristeza que conheci na vida de repente tenha decidido convergir naquela. Eu precisava lutar contra aquilo. E, se ele não via, provavelmente era porque ele mesmo não era imune.

Casualmente perguntei se ele já tinha lido um romance de Thomas Hardy chamado *A bem-amada*. Não, não tinha. Sobre um homem que se apaixona por uma mulher que, anos depois de deixá-lo, morre. Ele visita a casa dela e acaba conhecendo sua filha, por quem se apaixona e, depois de perdê-la também, muitos anos depois, encontra a filha dela, mais uma paixão.

— Essas coisas morrem sozinhas ou algumas precisam de gerações e vidas para serem resolvidas?

— Eu não gostaria que meu filho acabasse na sua cama, assim como não gostaria que o seu, se você tivesse um filho, acabasse na cama do meu.

Rimos.

— Me pergunto quanto a nossos pais, no entanto.

Ele pensou por um tempo, então sorriu. Ambos professores universitários, mesma universidade, mesmos anos.

— É uma possibilidade — disse ele.

— O que eu não quero é receber uma carta do seu filho com a má notícia: *A propósito, estou enviando o postal emoldurado que meu pai pediu que eu devolvesse a você.* Nem quero responder com algo como: *Você pode vir quando quiser, tenho certeza de que ele gostaria que ficasse no quarto que era dele.* Prometa que isso não vai acontecer.

— Prometo.

— O que você escreveu no verso do postal?

— Era para ser surpresa.

— Estou muito velho para surpresas. Além disso, surpresas sempre vêm com uma ponta afiada para nos ferir. Não quero ser ferido... não por você. Me conte.

— Só duas palavras.

— Vamos ver se adivinho: *Se não depois, quando?*

— Duas palavras. Além do mais, isso seria cruel.

Pensei por um instante.

— Desisto.

— *Cor cordium*, coração dos corações. Nunca disse nada mais verdadeiro a ninguém na vida.

Fiquei olhando para ele.

Ainda bem que estávamos em um lugar público.

— É melhor irmos embora.

Ele estendeu o braço para pegar o casaco, que estava dobrado ao seu lado, e começou a se levantar.

Eu o levaria até a entrada do hotel e o veria ir embora. A qualquer momento nos despediríamos. De repente fui pego de surpresa pela violenta constatação de que parte da minha vida seria tirada de mim e nunca mais voltaria.

— Vamos supor que vou acompanhá-lo até o seu carro — falei.

— Vamos supor que você vai jantar conosco.

— Vamos supor que sim.

Do lado de fora, a noite caía depressa. Eu gostava da paz e do silêncio do interior, com o pôr do sol rosado nas montanhas e a vista enigmática do rio. A terra do Oliver, pensei. As luzes mosqueadas do outro lado do rio brilhavam na água, me fazendo lembrar de *Noite estrelada sobre o Ródano*, de Van Gogh. Bem outonal, bem início do ano letivo, bem veranico e, como sempre no crepúsculo do veranico, a mistura persistente da alegria inacabada do verão e da lição de casa inacabada, e sempre a ilusão dos meses de verão adiante, que acaba assim que o sol se põe.

Tentei imaginar a família dele feliz, os meninos imersos em lição de casa, ou se arrastando depois de um dia pesado de aulas, irritados e mal-humorados, com as botas enlameadas, todos os clichês passando pela minha cabeça. *Foi na casa dele que eu fiquei quando morei na Itália*, diria ele, seguido dos "aham" rabugentos de dois adolescentes que não podiam ser incomodados pelo homem que veio da Itália, ou pela casa da Itália, mas que ficariam em choque se ouvissem *Ah, a propósito, este homem, que na época tinha quase a sua idade e passava a maior parte dos dias transcrevendo*

As sete últimas palavras do redentor na cruz *pela manhã, entrava escondido no meu quarto à noite e nós trepávamos até não aguentar mais. Então cumprimentem-no e sejam educados.*

Pensei no caminho de volta, tarde da noite, ao longo do rio iluminado pelas estrelas até este hotel antiquado na Nova Inglaterra, seguindo pela margem que eu esperava que nos fizesse lembrar da baía de B., e das noites estreladas de Van Gogh, da noite em que me juntei a ele na pedra e beijei seu pescoço, e da última noite, quando andamos juntos na estrada, sentindo que não haveria nenhum milagre de última hora para adiar sua partida. Imaginei estar em seu carro me perguntando Quem sabe se eu ia querer, se ele ia querer, talvez uma bebida no bar decidisse, sabendo que, durante todo o jantar naquela noite, ele e eu nos preocuparíamos com a mesma coisa, esperando que pudesse acontecer, rezando para que não acontecesse, talvez uma bebida no bar decidisse... Eu conseguia ler seu rosto enquanto o imaginava desviando o olhar ao abrir uma garrafa de vinho ou trocar a música, porque ele também iria flagrar o pensamento passando pela minha cabeça, e ia querer que eu soubesse que estava debatendo exatamente a mesma coisa, porque, enquanto servia o vinho para a esposa, para mim, para si mesmo, finalmente perceberíamos que ele era mais eu do que eu mesmo tinha sido, porque, quando se tornou eu e eu me tornei ele na cama tantos anos antes, ele foi e para sempre seria, muito depois de cada bifurcação da vida ter feito seu papel, meu irmão, meu amigo, meu pai, meu filho, meu marido, meu amante, meu eu. Nas semanas que passamos juntos naquele verão, nossas vidas mal se tocaram, mas nós atravessamos para o outro lado, onde o tempo para e o céu alcança a terra e nos oferece o que é divinamente nosso desde o nascimento. Desviamos o olhar. Falamos de tudo, exceto disso. Mas sempre soubemos, e não dizer nada agora confirmava ainda mais isso. Encontramos as estrelas, você e eu. E isso só acontece uma vez na vida.

No verão passado ele finalmente voltou. Foi uma visita de uma noite, no caminho de Roma para Menton. Chegou de táxi pela entrada arborizada, e o carro parou mais ou menos onde tinha parado vinte anos antes. Saltou do carro com o laptop, uma mochila enorme e uma caixa grande embalada, obviamente um presente.

— Para sua mãe — disse ao perceber que eu olhava para a caixa.

— É melhor contar a ela o que tem dentro — falei assim que o ajudei a deixar as coisas no hall de entrada —, ela desconfia de todo mundo.

Ele entendeu. Aquilo o entristeceu.

— Quarto de antes? — perguntei.

— Quarto de antes — confirmou ele, embora já tivéssemos combinado tudo por e-mail.

— Então, quarto de antes.

Eu não estava exatamente ansioso para subir com ele e fiquei aliviado ao ver Manfredi e Mafalda saírem da cozinha para cumprimentá-lo assim que ouviram o táxi chegar. Os abraços e beijos vertiginosos deles dissiparam um pouco do desconforto que eu sabia que sentiria assim que ele se instalasse na nossa casa. Queria que as boas-vindas exageradas durassem ao menos pela primeira hora. Qualquer coisa que evitasse que sentássemos frente a frente para tomar café e finalmente falássemos as duas palavras inevitáveis: Vinte anos.

Em vez disso, deixaríamos as coisas no hall e esperaríamos que Manfredi as levasse para o andar de cima enquanto Oliver e eu caminhávamos rapidamente pela casa.

— Você deve estar ansioso para ver tudo — diria, me referindo ao jardim, à cerca, à vista para o mar.

Passaríamos por trás da piscina, voltando à sala onde o velho piano ficava perto da porta francesa e de onde finalmente voltaríamos ao hall e descobriríamos que de fato suas coisas já haviam sido levadas para o andar de cima. Parte de mim talvez desejasse que ele percebesse que nada tinha mudado desde a última visita, que a *orla do paraíso* ainda estava ali, e que o portãozinho que levava à praia ainda rangia, que o mundo estava exatamente como ele o deixara, a não ser por Vimini, Anchise e meu pai. Era o gesto de boas-vindas que eu queria oferecer. Mas outra parte de mim queria que ele percebesse que não havia sentido em tentar colocar a conversa em dia... viajamos e passamos por muita coisa sem a presença do outro para que ainda houvesse qualquer coisa em comum entre nós. Talvez eu quisesse que ele sentisse uma pontada de perda, e pesar. Mas, no fim, e como um modo de ceder, talvez, decidi que a maneira mais fácil seria mostrar que eu não tinha me esquecido de nada. Fiz menção de levá-lo ao terreno baldio que seguia tão seco e improdutivo quanto estava duas décadas antes. Mal terminei a oferta.

— Já fizemos isso — respondeu ele.

Era o jeito dele de fazer com que eu soubesse que também não havia esquecido.

— Talvez você prefira dar uma passada rápida no banco. Ele caiu na gargalhada.

— Aposto que eles nunca fecharam minha conta.
— Se tivermos tempo, e se você quiser, posso levá-lo ao campanário. Sei que nunca foi lá.
— O "de morrer"?

Sorri de volta. Ele se lembrava de como o chamávamos.

Ao atravessarmos o pátio olhando para a imensidão azul à nossa frente, fiquei o observando se debruçar na cerca que dava para a baía.

Lá embaixo estava sua pedra, onde ele ficava sentado à noite, onde ele e Vimini passavam tardes inteiras juntos.

— Ela teria trinta anos — disse ele.
— Eu sei.
— Ela me escrevia todos os dias. Todos.

Oliver estava olhando para o lugar onde eles costumavam sentar. Eu me lembrei de como eles davam as mãos e desciam juntos até a praia.

— Um dia ela parou de escrever. E eu soube. Simplesmente soube. Guardei todas as cartas, sabe.

Olhei para ele com tristeza.

— Guardei as suas também — acrescentou ele imediatamente, para me tranquilizar, embora vagamente, sem saber se aquilo era algo que eu queria ouvir.

Era minha vez.

— Tenho todas as suas também. E outra coisa. Que talvez eu mostre. Depois.

Ele não se lembrava da camisa esvoaçante ou estava sendo modesto demais, cauteloso demais para demonstrar que sabia exatamente do que eu estava falando? Voltou a olhar para o mar.

Tinha vindo no dia certo. Nem uma nuvem, nem uma ondulação, nem um vento mais agitado.

— Eu tinha esquecido o quanto amava este lugar. Mas era exatamente assim que me lembrava dele. Ao meio-dia é o paraíso.

Eu o deixei falar. Era bom ver seus olhos se perderem no mar. Talvez ele também quisesse evitar o cara a cara.

— E Anchise? — perguntou finalmente.

— Nós o perdemos para o câncer, pobre homem. Eu costumava pensar que ele era velho demais. Mas não tinha nem cinquenta anos.

— Ele também amava este lugar... ele, seus enxertos e seu pomar.

— Ele morreu no quarto do meu avô.

Silêncio outra vez. Pensei em acrescentar *Meu antigo quarto*, mas mudei de ideia.

— Você está feliz por estar de volta?

Ele imediatamente percebeu o que havia por trás da minha pergunta, antes mesmo de mim.

— *Você* está feliz por eu estar de volta? — devolveu a pergunta.

Olhei para ele, me sentindo completamente desarmado, embora não ameaçado. Como as pessoas que ficam coradas facilmente, mas não têm vergonha disso, eu sabia que não devia sufocar o sentimento, e me deixei ser dominado por ele.

— Você sabe que sim. Mais do que deveria, talvez.

— Eu também.

Isso dizia tudo.

— Venha, vou mostrar onde espalhamos um pouco das cinzas do meu pai.

Demos a volta e descemos até o jardim onde costumava ficar a mesa do café da manhã.

— Aqui era o canto do meu pai. Chamo de canto-fantasma. Meu canto costumava ser ali, não sei se você lembra.

Apontei para onde minha mesa ficava antes, perto da piscina.

— Eu tinha um canto? — perguntou ele com um meio sorriso.

— Você sempre vai ter um canto.

Eu queria dizer a ele que a piscina, o jardim, a casa, a quadra de tênis, todos os lugares, até o mar eram seus e sempre seriam. Em vez disso, apontei para as portas francesas da varanda do seu antigo quarto. Seus olhos ficarão lá para sempre, eu queria dizer, presos às cortinas transparentes, olhando do meu quarto lá em cima onde hoje ninguém dorme. Quando há uma brisa e elas voam, e eu olho aqui debaixo ou estou na varanda, me pego pensando que você está lá dentro, olhando do seu mundo para o meu mundo, dizendo, como disse naquela noite em que o encontrei na pedra, Sabe, tenho sido feliz em B. Você está a milhares de quilômetros daqui, mas basta eu olhar para essa janela para pensar no calção de banho, na camisa vestida às pressas, e de repente você está ali, debruçado no corrimão, acendendo o primeiro cigarro do dia... vinte anos hoje. Enquanto esta casa estiver em pé, aquele será seu canto-fantasma... e o meu também, eu queria dizer.

Ficamos por alguns segundos no lugar onde um dia meu pai e eu conversamos sobre Oliver. Agora ele e eu estávamos falando sobre meu pai. Amanhã, vou me lembrar desse momento e deixar os fantasmas de suas ausências vaguearem no lusco-fusco.

— Eu sei que ele gostaria que algo assim acontecesse, principalmente em um dia de verão tão lindo.

— Tenho certeza que sim. Onde vocês espalharam o restante das cinzas? — perguntou ele.
— Ah, por toda parte. No Hudson, no Egeu, no Mar Morto. Mas é aqui que venho quando quero estar com ele.
Ele não disse nada. Não havia o que dizer.
— Venha, vou levá-lo à igreja de São Tiago antes que você mude de ideia — falei finalmente. — Ainda temos tempo antes do almoço. Você se lembra do caminho?
— Eu me lembro do caminho.
— Você se lembra do caminho — ressoei.
Ele olhou para mim e sorriu. Isso me deixou animado. Talvez por saber que ele estava me provocando.
Vinte anos atrás foi ontem, e ontem foi esta manhã, e esta manhã parecia a anos-luz de distância.
— Sou como você — disse ele. — Eu me lembro de tudo.
Parei por um instante. Se você se lembra de tudo, eu quis dizer, e se realmente gosta de mim, então antes de ir embora amanhã, ou quando estiver prestes a fechar a porta do táxi e já tiver se despedido de todos os outros e não houver mais nada a ser dito nesta vida, então, só desta vez, vire para mim, ainda que de brincadeira, ou como um adendo que significaria tudo para mim, e, como fez naquela vez, olhe nos meus olhos, sustente meu olhar e me chame pelo seu nome.

1ª edição	JANEIRO DE 2018
reimpressão	OUTUBRO DE 2024
impressão	IMPRENSA DA FÉ
papel de miolo	HYLTE 60 G/M²
papel de capa	CARTÃO SUPREMO ALTA ALVURA 250 G/M²
tipografia	SABON